C

Dieses Taschenbuch enthält in englisch-deutschem Paralleldruck neun englische Kurzgeschichten aus der Zeit zwischen 1910 und 1950:

– Ein liebender Vater erlebt mit Schaudern, wie sich sein Töchterchen von zu Hause weg zu orientieren beginnt (glücklicherweise standesgemäß)
– Ein Christ und ein Moslem treffen sich an der Pforte zum Paradies und reagieren anders, als man es dort erwartet
– Ein Kunsthändler verkauft einem gemütlichen Neureichen aus der Provinz ein Ölgemälde, indem er für ihn die wunderbare Geschichte von dessen Herkunft erfindet
– Ein Casanova im Reich der Straßenbahnschaffnerinnen wird eines Tages mit der Emanzipation konfrontiert
– Ein junges Mädchen hat ausgerechnet am Tag des genüsslich vorbereiteten familiären Gartenfestes die erste Begegnung mit Armut und Tod
– Eine schöne Frau beherrscht auf charmante Weise mittels ihrer Schonungsbedürftigkeit einen ganzen kleinen Kosmos
– Die Nebenwirkung eines deutschen Luftangriffes ist die Aussöhnung eines betont braven (übrigens netten) Pfarrers mit seinem dionysischen Amtsvorgänger
– Eine grummelige Wiedergänger-Szene in einem Landhaus. Oder ist es die normale Heimkehr einer Jagdgesellschaft?
– Ein aus kleinen Verhältnissen zu Reichtum gekommener Juwelier lässt sich von einer Herzogin ausnehmen, weil er deren schöne Tochter für sich erträumt...

Neun klassische moderne Kurzgeschichten. Meisterstücke!

TICKETS, PLEASE! British short stories

FAHRSCHEINE, BITTE! Englische Kurzgeschichten

Herausgegeben von Harald Raykowski
unter Mitarbeit von Stefanie Lotz

Deutscher Taschenbuch Verlag

dtv zweisprachig · Edition Langewiesche-Brandt
herausgegeben von Kristof Wachinger

Originalanthologie / Neuübersetzung
1. Auflage Februar 1998. 4. Auflage September 2001
Deutscher Taschenbuch Verlag GmbH & Co. KG, München
www.dtv.de
Copyright-Nachweise Seite 199 ff.
Umschlagkonzept: Balk & Brumshagen
Umschlagbild: F. C. B. Cadell: The Orange Blind, 1927, (Ausschnitt).
© Portland Gallery, London
Satz: W Design, Höchstädt (Ofr.)
Druck und Bindung: Kösel, Kempten
Gedruckt auf säurefreiem, chlorfrei gebleichtem Papier
ISBN 3-423-09363-3. Printed in Germany

"He is the young man she met on the aeroplane," Mrs Carteret said. "Now go to sleep."

Outside the bedroom window, in full moonlight, the leaves of the willow tree seemed to be slowly swimming in delicate but ordered separation, like shoals of grey-green fish. The thin branches were like bowed rods in the white summer sky.

"This is the first I heard that there was a young man on the aeroplane," Mr Carteret said.

"You saw him," Mrs Carteret said. "He was there when we met her. You saw him come with her through the customs."

"I can't remember seeing her with anybody."

"I know very well you do because you remarked on his hat. You said what a nice colour it was. It was a sort of sage-green one with a turndown brim —"

"Good God," Mr Carteret said. "That fellow? He looked forty or more. He was as old as I am."

"He's twenty-eight. That's all. Have you made up your mind which side you're going to sleep?"

"I'm going to stay on my back for a while," Mr Carteret said. "I can't get off. I heard it strike three a long time ago."

"You'd get off if you'd lie still," she said.

Sometimes a turn of humid air, like the gentlest of currents, would move the entire willow tree in one huge soft fold of shimmering leaves. Whenever it did so Mr Carteret felt for a second or two that it was the sound of an approaching car. Then when the breath of wind suddenly changed direction and ran across the night landscape in a series of leafy echoes, stirring odd trees far away, he knew always that there was no car

H. E. Bates: Ade, du schöne Rose

«Er ist der junge Mann, den sie im Flugzeug kennengelernt hat», sagte Mrs Carteret. «Aber jetzt schlaf endlich!»

Draußen vor dem Schlafzimmerfenster, im Licht des Vollmondes, schienen die Blätter der Weide langsam dahinzuschwimmen, zierlich und säuberlich voneinander gesondert wie Schwärme graugrüner Fische. Die dünnen Zweige ragten in den hellen Sommernachthimmel wie gebogene Angelruten.

«Das ist das erste, was ich von einem jungen Mann im Flugzeug höre», sagte Mr Carteret.

«Du hast ihn doch selbst gesehen», antwortete Mrs Carteret. «Er war da, als wir sie abholten. Du hast ihn mit ihr durch den Zoll kommen sehen.»

«Ich erinnere mich nicht, sie mit jemandem gesehen zu haben.»

«Natürlich, du hast doch eine Bemerkung über seinen Hut gemacht. Was für eine hübsche Farbe der habe. Eine Art Salbeigrün, und mit heruntergebogenem Rand...»

«Um Gottes willen», sagte Mr Carteret. «Der Kerl? Er sah aus wie vierzig oder noch älter. Er war so alt wie ich.»

«Er ist achtundzwanzig, das ist alles. Hast du dich nun endlich entschlossen, auf welcher Seite du schlafen willst?»

«Ich werde eine Weile auf dem Rücken liegen», antwortete Mr Carteret. «Ich kann nicht einschlafen. Es ist schon lange her, seit es drei Uhr geschlagen hat.»

«Du könntest einschlafen, wenn du still lägest», sagte sie.

Manchmal umspielte ein plötzlich umspringender feuchter Wind gleich einem überaus sanften Luftstrom die ganze Weidenkrone in einer weiten, zärtlichen Umarmung schimmernder Blätter. Wenn das geschah, glaubte Mr Carteret einen Augenblick lang das Geräusch eines näherkommenden Autos zu hören. Wenn dann der Windhauch plötzlich in anderer Richtung über das nächtliche Land fuhr und einsam stehende Bäume in der Ferne wie ein Echo nacheinander aufrauschten, dann wusste er jedesmal, dass es

and that it was only, once again, the quiet long gasp of midsummer rising and falling and dying away.

"Where are you fussing off to now?" Mrs Carteret said.

"I'm going down for a drink of water."

"You'd better by half shut your eyes and lie still in one place," Mrs Carteret said. "Haven't you been off at all?"

"I can never sleep in moonlight," he said. "I don't know how it is, I never seem to settle properly. Besides, it's too hot."

"Put something on your feet," Mrs Carteret said, "for goodness' sake."

Across the landing, on the stairs and down in the kitchen the moonlight had the white starkness of a shadowless glare. The kitchen floor was warm to his bare feet and the water warmish as it came from the tap. He filled a glass twice and then emptied it into the sink and then filled it again before it was cold enough to drink. He had not put on his slippers because he could not remember where he had left them. He had been too busy thinking of Sue. Now he suddenly remembered that they were still where he had dropped them, in the coalscuttle by the side of the stove.

After he had put them on he opened the kitchen door and stepped outside and stood in the garden. Distinctly, with astonishingly pure clearness, he could see the colours of all the roses, even those of the darkest red. He could even distinguish the yellow from the white and not only in the still standing blooms but in all the fallen petals, thick everywhere on dry earth after the heat of the July day.

He walked until he stood in the centre of the lawn. For a time he could not discover a single star in the sky. The moon was like a solid opaque electric bulb,

kein Auto war, sondern nur wieder das ruhige, langsame Atmen des Hochsommers, das anschwoll, abklang und verstummte.

«Was geisterst du jetzt schon wieder herum?» fragte Mrs Carteret.

«Ich gehe nur hinunter und trinke ein Glas Wasser.»

«Du solltest lieber die Augen zumachen und dich schön ruhig verhalten», sagte Mrs Carteret. «Bist du denn überhaupt noch nicht eingeschlafen?»

«Ich kann bei Mondlicht nie schlafen», sagte er. «Ich weiß nicht, wieso, aber ich komme einfach nicht zur Ruhe. Außerdem ist es zu heiß.»

«Zieh dir doch wenigstens etwas an die Füße!» sagte Mrs Carteret.

Über den Treppenabsatz, auf die Stiege und unten in die Küche strahlte das Mondlicht grellweiß wie ein schattenloser Lichtkegel. Der Küchenboden fühlte sich unter seinen nackten Sohlen warm an, und das Wasser floss lau aus dem Leitungshahn. Zweimal füllte er ein Glas und leerte es in den Ausguss, bis beim dritten Mal das Wasser kalt genug zum Trinken war. Er hatte seine Hausschuhe nicht angezogen, weil er nicht mehr wusste, wo er sie gelassen hatte. Er war zu sehr in Gedanken bei Sue gewesen. Jetzt fiel ihm plötzlich ein, dass sie noch immer da sein mussten, wo er sie abgestreift hatte, im Kohleneimer neben dem Herd.

Mit den Pantoffeln an den Füßen öffnete er die Küchentür und trat hinaus in den Garten. Deutlich, in erstaunlicher Reinheit und Klarheit, konnte er die Farben aller Rosen sehen, auch die der ganz dunkelroten. Er konnte sogar die gelben Rosen von den weißen unterscheiden, und das nicht nur bei den noch unversehrten Blüten, sondern auch bei den abgefallenen Blütenblättern, die nach der Hitze des Julitages überall dick auf der trockenen Erde lagen.

Er ging weiter, bis er in der Mitte des Rasens stand. Eine ganze Weile konnte er keinen einzigen Stern am Himmel entdecken. Der Mond war wie eine starke, matte Glühbirne,

the glare of it almost cruel, he thought, as it poured
down on the green darkness of summer trees.

Presently the wind made its quickening watery
turn of sound among the leaves of the willow
and ran away over the nightscape, and again he
thought it was the sound of a car. He felt the
breeze move coolly, almost coldly, about his pyjama legs and he ran his fingers in agitation once
or twice through the pillow tangles of his hair.

Suddenly he felt helpless and miserable.

"Sue," he said. "For God's sake where on earth
have you got to? Susie, Susie – this isn't like you."

His pet term for her, Susie. In the normal way
Sue. Perhaps in rare moments of exasperation,
Susan. He had called her Susie a great deal on her
nineteenth birthday, three weeks before, before
she had flown to Switzerland for her holiday.
Everyone thought, that day, how much she had
grown, how firm and full she was getting, and
how wonderful it was that she was flying off alone.
He only thought she looked more delicate and
girlish than ever, quite thin and childish in the
face in spite of her lipstick, and he was surprised
to see her drinking what he thought were too
many glasses of sherry. Nor, in contrast to himself, did she seem a bit nervous about the plane.

Over towards the town a clock struck chimes for
a half hour and almost simultaneously he heard
the sound of a car. There was no mistaking it this
time. He could see the swing of its headlights too
as it made the big bend by the packing station
down the road, a quarter of a mile away.

"And quite time too, young lady," he thought.
He felt sharply vexed, not miserable any more. He
could hear the car coming fast. It was so fast that
he began to run back to the house across the lawn.
He wanted to be back in bed before she arrived and

sein Glanz erschien ihm geradezu grausam, wie er sich so über das grüne Dunkel der sommerlichen Bäume ergoss.

Auf einmal blies der Wind erneut aufrauschend in das Laub der Weide, um gleich darauf wieder über die nächtlichen Fluren hinwegzujagen, und wieder glaubte er, das Geräusch eines Autos zu hören. Er spürte den Luftzug kühl, beinahe kalt um seine Pyjamabeine wehen und fuhr sich mit den Fingern ein- oder zweimal nervös durch seine vom Liegen verfransten Haare.

Plötzlich fühlte er sich hilflos und elend.

«Sue», sagte er, «wo steckst du denn in Gottes Namen? Susie, Susie, ... das sieht dir doch gar nicht ähnlich.»

Susie, das war der Kosename, den er ihr gab, während er sie gewöhnlich Sue und vielleicht, in einem seltenen Augenblick der Verstimmung, auch einmal Susan nannte. Erst vor drei Wochen, an ihrem neunzehnten Geburtstag, war sie für ihn Susie hier und Susie da gewesen, bevor sie zu Ferien in die Schweiz abgeflogen war. Alle Leute hatten an diesem Tag davon gesprochen, wie sehr sie gewachsen war, wie fest und voll sie wurde, wie prächtig es war, dass sie ganz allein mit dem Flugzeug verreiste. Nur ihm war sie zarter und mädchenhafter denn je vorgekommen, ganz schmal und kindlich im Gesicht trotz dem Lippenstift, und es war ihm aufgefallen, wie viele Gläser Sherry, eigentlich viel zu viele, sie getrunken hatte. Aber im Gegensatz zu ihm hatte sie auch nicht die geringste Unruhe wegen des bevorstehenden Fluges gezeigt.

Von der Stadt herüber schlug eine Turmuhr die halbe Stunde, und fast gleichzeitig vernahm er das Geräusch eines Autos. Diesmal war es unverkennbar. Dann sah er auch schon, wie unten beim Verladebahnhof, eine Viertelmeile entfernt, die Scheinwerfer um die große Kurve schwenkten.

«Es wird ja auch langsam Zeit, junge Dame», dachte er bei sich. Hatte er sich eben noch elend gefühlt, so empfand er jetzt heftigen Ärger. Er hörte das Auto schnell herankommen. Es ging so rasch, dass er quer über den Rasen zum Haus zu laufen begann. Er wollte im Bett sein, ehe sie

saw him there. He did not want to be caught like that. His pyjama legs were several inches too long and were wet with the dew of the grass and he held them up, like skirts, as he ran.

What a damn ridiculous situation, he thought. What fools children could make you look sometimes. Just about as exasperating as they could be.

At the kitchen door one of his slippers dropped off and as he stopped to pick it up and listen again for the sound of the car he discovered that now there was no sound. The headlights too had disappeared. Once again there was nothing at all but the enormous noiseless glare, the small folding echoes of wind dying away.

"Damn it, we always walked home from dances," he thought. "That was part of the fun."

Suddenly he felt cold. He found himself remembering with fear the long bend by the packing station. There was no decent camber on it and if you took it the slightest bit too fast you couldn't make it. Every week there were accidents there. And God, anyway what did he know about this fellow? He might be the sort who went round making pick-ups. A married man or something. Anybody. A crook.

All of a sudden he had a terrible premonition about it all. It was exactly the sort of feeling he had had when he saw her enter the plane, and again when the plane lifted into sky. There was an awful sense of doom about it: he felt sure she was not coming back. Now he felt in some curious way that his blood was separating itself into single drops. The drops were freezing and dropping with infite systematic deadliness through the veins, breeding cold terror inside him. Somehow he knew that there had been a crash.

He was not really aware of running down

ankommen und ihn hier sehen würde. So durfte er sich nicht erwischen lassen. Seine Pyjamabeine waren um etliche Zentimeter zu lang und vom Tau des Grases durchnässt, so dass er sie beim Laufen wie Röcke gerafft hielt.

Eine verdammt lächerliche Lage, dachte er bei sich. Was für einen Hanswurst doch Kinder manchmal aus einem machen, unausstehlich wie sie sein können.

An der Küchentür fiel ihm einer der Pantoffeln vom Fuß, und als er stehenblieb, um ihn aufzuheben und nochmal nach dem Auto zu horchen, bemerkte er, dass kein Laut mehr zu hören war. Auch die Scheinwerfer waren verschwunden. Nichts war geblieben außer dem grellen, stummen Glanz und dem leise aufrauschenden Echo des verebbenden Windes.

«Zum Kuckuck, zu unserer Zeit ging man zu Fuß nach dem Tanzen heim. Das gehörte mit zum Spaß.»

Plötzlich überlief es ihn kalt. Voller Angst erinnerte er sich an die lange Kurve beim Verladebahnhof. Sie war nicht ordentlich überhöht, und wenn man sie nur um eine Idee zu schnell nahm, schaffte man sie nicht mehr. Jede Woche passierten dort Unfälle. Und, um alles in der Welt, was wusste er überhaupt von diesem Kerl? Vielleicht war er einer von der Sorte, die auf flüchtige Abenteuer aus sind. Ein verheirateter Mann oder so was. Weiß Gott wer. Ein Lump.

Eine schreckliche Vorahnung stürmte auf ihn ein, genau so ein Gefühl wie er es damals hatte, als er Susie im Flugzeug verschwinden sah, und dann wieder, als sich die Maschine in den Himmel erhob. Das furchtbare Gefühl eines sicheren Verhängnisses hatte ihn damals befallen, und er hatte deutlich gespürt, dass sie nie mehr zurückkommen würde. Jetzt war ihm so seltsam zumute, als gerinne sein Blut zu einzelnen Tropfen. Die Tropfen wurden zu Eis, sickerten nach einem unfehlbar tödlichen Plan durch seine Adern und hinterließen kaltes Entsetzen. Irgendwie wusste er, dass ein Unfall passiert war.

Ohne recht zu wissen, was er tat, rannte er durch den

through the rose-garden to the gate. He simply found himself somehow striding up and down in the road outside, tying his pyjama cord tighter in agitation.

My God, he thought, how easy the thing could happen. A girl travelled by plane or train or even bus or something and before you knew where you were it was the beginning of something ghastly.

He began to walk up the road, feeling the cold precipitation of blood take drops of terror down to his legs and feet. A pale yellow suffusion of the lower sky struck into him the astonishing fact that it was almost day. He could hardly believe it and he broke miserably into a run.

Only a few moments later, a hundred yards away, he had the curious impression that from the roadside a pair of yellow eyes were staring back at him. He saw then that they were the lights of a stationary car. He did not know what to do about it. He could not very well go up to it and tap on the window and say, in tones of stern father-hood, "Is my daughter in there? Susan, come home." There was always the chance that it would turn out to be someone else's daughter. It was always possible that it would turn out to be a daughter who liked what she was doing and strongly resented being interrupted in it by a prying middle-aged stranger in pyjamas.

He stopped and saw the lip of daylight widening and deepening its yellow on the horizon. It suddenly filled him with the sobering thought that he ought to stop being a damn fool and pull himself together.

"Stop acting like a nursemaid," he said. "Go home and get into bed. Don't you trust her?" It was always when you didn't trust them, he told himself, that trouble really began. That was when

Rosengarten zum Tor hinunter. Er fand erst wieder zu sich, als er draußen auf der Straße ziellos auf und ab lief und dabei mit nervösen Fingern das Band seiner Pyjamahose enger zog.

Mein Gott, dachte er, wie leicht doch etwas passieren konnte. Da reiste ein Mädchen mit dem Flugzeug oder Zug, vielleicht auch nur mit dem Autobus oder dergleichen, und ehe man sich's versah, nahm das Unheil seinen Lauf.

Er begann, die Straße entlang zu gehen, während ihm der eisige Blutstrom Tropfen um Tropfen des Entsetzens in Beine und Füße hinuntertrug. Eine zartgelbe Tönung des Horizonts stellte ihn vor die überraschende Tatsache, dass es fast schon Tag war. Er konnte es kaum glauben und setzte sich verzweifelt in Trab.

Kurze Zeit darauf, nach etwa hundert Metern, hatte er den merkwürdigen Eindruck, dass ihn vom Straßenrand her ein Paar gelbe Augen anstarrten. Dann sah er, dass es die Scheinwerfer eines geparkten Wagens waren. Er wusste nicht, wie er sich verhalten sollte. Er konnte ja nicht gut hingehen, an das Fenster klopfen und mit strenger Vaterstimme sagen: «Ist meine Tochter da drinnen? Susan, komm nach Haus!» Es könnte sich allzuleicht herausstellen, dass es die Tochter von jemand anderem war. Und sehr leicht könnte es sich herausstellen, dass es eine Tochter war, der das, was sie da gerade tat, Spaß machte, und die es gehörig übelnehmen würde, dabei von einem neugierigen Fremden in mittleren Jahren und Pyjamas gestört zu werden.

Er blieb stehen, während der Dämmerstreifen am Horizont sich verbreiterte und ein immer tieferes Gelb annahm. Dieser Anblick wirkte ernüchternd, und er sah ein, dass er sich genug lächerlich gemacht hatte und sich nun zusammennehmen musste.

«Hör doch auf, dich wie ein Kindermädchen zu benehmen!» sagte, er vor sich hin. «Geh heim und leg dich ins Bett! Hast du denn kein Vertrauen zu ihr?» Es war doch immer so: wenn man ihnen nicht traute, fing das Unheil

you asked for it. It was a poor thing if you didn't trust them.

"Go home and get into bed, you poor sap," he said. "You never fussed this much even when she was little."

He had no sooner turned to go back than he heard the engine of the car starting. He looked round and saw the lights coming towards him down the road. Suddenly he felt more foolish than ever and there was no time for him to do anything but press himself quickly through a gap in the hedge by the roadside. The hedge was not very tall at that point and he found himself crouching down in a damp jungle of cow-parsley and grass and nettle that wetted his pyjamas as high as the chest and shoulders. By this time the light in the sky had grown quite golden and all the colours of day were becoming distinct again and he caught the smell of honeysuckle rising from the dewiness of the hedge.

He lifted his head a second or so too late as the car went past him. He could not state whether Susie was in it or not and he was in a state of fresh exasperation as he followed it down the road. He was uncomfortable because the whole of his pyjamas were sopping with dew and he knew that now he would have to change and get himself a good rub-down before he got back into bed.

"God, what awful fools they make you look," he thought, and then, a second later, "hell, it might not be her. Oh! hell, supposing it isn't her?"

Wretchedly he felt his legs go weak and cold again. He forgot the dew on his chest and shoulders as the slow freezing precipitation of his blood began. From somewhere the wrenching thought of a hospital made him feel quite faint with a nausea that he could not fight away.

erst an. Damit beschwor man es förmlich herauf. Es war ein schlechtes Zeichen, wenn man ihnen nicht traute.

«Geh heim und leg dich ins Bett, du armer Trottel», sagte er. «So ein Theater hast du noch nie gemacht, nicht einmal, als sie noch klein war.»

Er hatte kaum kehrtgemacht, als er den Motor des Wagens anspringen hörte. Er blickte sich um und sah die Scheinwerfer die Straße entlang auf sich zukommen. Mit einem Mal kam er sich alberner vor denn je, zumal er zu nichts anderem mehr Zeit fand, als sich eilig durch eine Lücke zu zwängen, die ihm die Hecke am Straßenrand bot. Die Hecke war an dieser Stelle nicht sehr hoch, und er musste sich in ein feuchtes Gestrüpp von Kerbelkraut, Gras und Brennesseln niederkauern, das seinen Schlafanzug bis über Brust und Schultern hinauf durchnässte. Inzwischen war die Helligkeit am Himmel ganz golden geworden, und alle Farben des Tages ließen sich allmählich immer deutlicher unterscheiden, während ihm aus der taufeuchten Hecke der Duft von Geißblatt in die Nase stieg.

Er hob seinen Kopf vielleicht eine Sekunde zu spät, als der Wagen an ihm vorbeifuhr. So konnte er nicht sehen, ob Susie darin saß oder nicht, und aufs neue ergrimmt begann er hinter dem Auto herzulaufen. Es war ihm unbehaglich, da sein ganzer Schlafanzug vom Tau tropfnass war und er sich vor dem Zubettgehen nun wohl oder übel umziehen und tüchtig abfrottieren musste.

«Mein Gott, wie sie einen zum Narren machen können», ging es ihm durch den Kopf, doch fast im selben Augenblick durchzuckte ihn der Gedanke: «Verflucht, vielleicht ist sie es gar nicht. Oh verflucht, wenn sie es nun nicht ist?»

Ins Elend zurückgestoßen, spürte er seine Beine wieder schwach und kalt werden. Er vergaß den Tau auf Brust und Schultern, während der Kreislauf seines langsamen eiskalten Blutes in Gang kam. Von irgendwoher überfiel ihn der peinigende Gedanke an ein Krankenhaus, und es wurde ihm ganz schwach von dem Gefühl eines Ekels, den er nicht abschütteln konnte.

"Oh! Susie, for Jesus' sake don't do this any more to us. Don't do it any more –"

Then he was aware that the car had stopped by the gates of the house. He was made aware of it because suddenly, in the fuller dawn, the red rear light went out.

A second or two later he saw Susie. She was in her long heliotrope evening dress and she was holding it up at the skirt, in her delicate fashion, with both hands. Even from that distance he could see how pretty she was. The air too was so still, in the birdless summer morning silence that he heard her distinctly, in her nice fluty voice, so girlish and friendly, call out:

"Good-bye. Yes: lovely. Thank you."

The only thing now, he thought, was not to be seen. He had to keep out of sight He found himself scheming to get in by the side gate. Then he could slip up to the bathroom and get clean pyjamas and perhaps even a shower.

Only a moment later he saw that the car had already turned and was coming back towards him up the road. This time there was no chance to hide and all he could do was to step into the verge to let it go past him. For a few wretched seconds he stood there as if naked in full daylight, trying with nonchalance to look the other way.

In consternation he heard the car pull up a dozen yards beyond him and then a voice called:

"Oh! sir. Pardon me. Are you Mr Carteret, sir?"

"Yes," he said.

There was nothing for it now, he thought, but to go back and find out exactly who the damn fellow was.

"Yes, I'm Carteret," he said and he tried to put into his voice what he thought was a detached, unstuffy, coolish sort of dignity.

« Oh Susie, tu uns das um Gotteswillen nicht mehr an! Tu es uns nie wieder an… »

Da bemerkte er, dass der Wagen vor dem Haustor angehalten hatte. Er konnte es daran sehen, dass plötzlich, in dem zunehmenden Morgengrauen, die roten Rücklichter erloschen.

Einen Augenblick später sah er Susie. Sie trug ihr langes, sonnenblumengelbes Abendkleid, dessen Rock sie in ihrer anmutigen Art mit beiden Händen hochhielt. Sogar aus dieser Entfernung konnte er sehen, wie hübsch sie war. Die Luft in dieser selbst den Vögeln noch zu frühen Morgenstunde war so still, dass er deutlich ihre niedliche Stimme, so mädchenhaft und freundlich, flöten hörte:

« Auf Wiedersehen. Ja, es war reizend. Vielen Dank. »

Das einzige, worauf es jetzt ankam, war, sich nicht blicken zu lassen. Er musste unbemerkt bleiben. Er dachte sich einen Plan aus, wie er sich durch die Seitentür Einlass verschaffen könnte. Dann würde er ins Badezimmer hinaufschleichen und damit zu einem frischen Schlafanzug und vielleicht sogar zu einer Dusche kommen.

Doch da sah er auch schon, dass das Auto gewendet hatte und ihm entgegenfuhr. Diesmal gab es kein Verstecken, und es blieb ihm nur eines: an den Straßenrand zu treten und es vorbeifahren zu lassen. Ein paar erbärmliche Sekunden stand er da, wie nackt dem hellen Tage preisgegeben, und versuchte, lässig in die entgegengesetzte Richtung zu blicken.

Voller Bestürzung hörte er, wie der Wagen etwa zehn Meter hinter ihm anhielt und eine Stimme rief:

« Verzeihung, Sir, sind Sie vielleicht Mr Carteret, Sir? »

« Ja », sagte er.

Es blieb ihm wohl nichts übrig, dachte er bei sich, als zurückzugehen und sich den verflixten Kerl näher anzusehen.

« Ja, mein Name ist Carteret », sagte er und versuchte, so etwas wie unbefangene, kühl-gelassene Würde in seine Stimme einfließen zu lassen.

"Oh! I'm Bill Jordan, sir." The young man had fair, smooth-brushed hair that looked extremely youthful against the black of his dinner jacket. "I'm sorry we're so late. I hope you haven't been worried about Susie?"

"Oh! no. Good God, no."

"It was my mother's fault. She kept us."

"I thought you'd been dancing?"

"Oh! no, sir. Dinner with my mother. We did dance a few minutes on the lawn but then we played canasta till three. My mother's one of those canasta fanatics. It's mostly her fault I'm afraid."

"Oh! that's all right. So long as you had a good time."

"Oh! we had a marvellous time, sir. It was just that I thought you might be worried about Susie –"

"Oh! great heavens, no."

"That's fine, then, sir." The young man had given several swift looks at the damp pyjamas and now he gave another and said: "It's been a wonderfully warm night, hasn't it?"

"Awfully close. I couldn't sleep."

"Sleep – that reminds me." He laughed with friendly, expansive well-kept teeth that made him look more youthful than ever and more handsome. "I'd better get home or it'll be breakfast time. Good night, sir."

"Good night."

The car began to move away. The young man lifted one hand in farewell and Carteret called after him:

"You must come over and have dinner with us one evening –"

"Love to. Thank you very much, sir. Good night."

Carteret walked down the road. Very touching, the sir business. Very illuminating and nice. Very

«Oh! Ich heiße Bill Jordan, Sir.» Der junge Mann hatte blondes, glattgebürstetes Haar, das zum Schwarz seines Smokings äußerst jugendlich wirkte. «Es tut mir leid, dass wir uns so verspätet haben. Hoffentlich haben Sie sich um Susie keine Sorgen gemacht.»

«Oh, nein, lieber Gott, keineswegs!»

«Meine Mutter ist schuld. Sie ließ uns nicht gehen.»

«Ich dachte, Sie wären tanzen gewesen.»

«Oh, nein, Sir. Wir waren zum Abendessen bei meiner Mutter. Wir tanzten zwar ein paar Minuten auf dem Rasen, aber dann haben wir bis drei Uhr Canasta gespielt. Meine Mutter ist nämlich auch so eine leidenschaftliche Canasta-spielerin. Sie ist eigentlich die Hauptschuldige.»

«Na, das macht doch nichts. Hauptsache, Sie haben sich gut unterhalten.»

«Oh, wir haben uns prächtig unterhalten, Sir. Ich habe nur gedacht, dass Sie sich um Susie ängstigen könnten...»

«Ach du lieber Himmel, nein!»

«Dann bin ich beruhigt, Sir.» Der junge Mann hatte den feuchten Pyjama mehrmals mit flüchtigen Blicken gestreift und fügte mit einem erneuten Blick darauf hinzu: «Es war eine wunderbar warme Nacht, nicht wahr?»

«Furchtbar schwül, ich konnte nicht schlafen.»

«Weil Sie gerade vom Schlafen sprechen – das bringt mich auf einen Gedanken.» Sein liebenswürdiges, breites Lachen mit den prächtig gepflegten Zähnen machte ihn noch jünger und hübscher. «Ich fahre lieber nach Hause; sonst ist schon gleich Zeit zum Frühstücken. Gute Nacht, Sir.»

«Gute Nacht.»

Das Auto fuhr ab. Der junge Mann hob die Hand zum Abschiedsgruß, während Carteret hinter ihm her rief:

«Sie müssen mal zum Abendessen zu uns kommen...»

«Oh ja, sehr gern. Recht herzlichen Dank, Sir. Gute Nacht.»

Carteret ging die Straße zurück. Rührend anzuhören, der Junge mit seinem dauernden «Sir». Sehr aufschlussreich,

typical. It was touches like that which counted. In relief he felt a sensation of extraordinary self-satisfaction.

When he reached the garden gate the daylight was so strong that it showed with wonderful freshness all the roses that had unfolded in the night. There was one particularly beautiful crimson one, very dark, almost black, that he thought for a moment of picking and taking upstairs to his wife. But finally he decided against it and left it where it grew.

By that time the moon was fading and everywhere the birds were taking over the sky.

sympathisch. Überaus bezeichnend. Ein netter Zug, einer von denen, die letzten Endes zählen. Erleichtert genoss er das Gefühl einer außerordentlichen Selbstzufriedenheit.

Als er das Gartentor erreichte, war der Tag so hell, dass man in herrlicher Frische alle Rosen erkennen konnte, die in der Nacht erblüht waren. Eine war besonders schön, karmesinrot, sehr dunkel, fast schwarz, und er dachte einen Augenblick daran, sie zu pflücken und seiner Frau hinaufzubringen. Aber dann entschied er sich dagegen und ließ sie weiter blühen.

Inzwischen verblasste langsam der Mond, und die Vögel bemächtigten sich des Himmels.

E. M. Forster: Mr Andrews

The souls of the dead were ascending towards the Judgment Seat and the Gate of Heaven. The world soul pressed them on every side, just as the atmosphere presses upon rising bubbles, striving to vanquish them, to break their thin envelope of personality, to mingle their virtue with its own. But they resisted, remembering their glorious individual life on earth, and hoping for an individual life to come.

Among them ascended the soul of a Mr Andrews who, after a beneficent and honourable life, had recently deceased at his house in town. He knew himself to be kind, upright and religious, and though he approached his trial with all humility, he could not be doubtful of its result. God was not now a jealous God. He would not deny salvation merely because it was expected. A righteous soul may reasonably be conscious of its own righteousness and Mr Andrews was conscious of his.

"The way is long," said a voice, "but by pleasant converse the way becomes shorter. Might I travel in your company?"

"Willingly," said Mr Andrews. He held out his hand, and the two souls floated upwards together.

"I was slain fighting the infidel," said the other exultantly, "and I go straight to those joys of which the Prophet speaks."

"Are you not a Christian?" asked Mr Andrews gravely.

"No, I am a Believer. But you are a Moslem, surely?"

"I am not," said Mr Andrews. "I am a Believer."

The two souls floated upwards in silence, but did not release each other's hands. "I am broad

E. M. Forster: Mr Andrews

Die Seelen der Verstorbenen waren auf dem Weg hinauf zum Richterstuhl und dem Himmelstor. Die Weltseele, deren Druck sie von allen Seiten umgab wie Luftblasen, die dem Druck der Atmosphäre ausgesetzt sind, versuchte, von ihnen Besitz zu ergreifen, die dünne Hülle ihrer Persönlichkeit zu sprengen und deren gute Eigenschaften mit den ihren zu verbinden. Sie aber hielten stand, da sie sich an ihr herrliches Leben als Einzelwesen auf Erden erinnerten und hofften, als Einzelwesen auch weiterzuleben.

Unter den aufsteigenden Seelen befand sich die eines Mr Andrews, der eben erst, nach einem wohltätigen und ehrsamen Leben, in seinem Haus in London verstorben war. Er wusste, dass er ein gütiger, aufrechter und frommer Mann gewesen war, und obgleich er seinem Gerichtsverfahren in aller Demut entgegensah, konnte er an dessen Ausgang doch nicht zweifeln. Gott war ja kein eifernder Gott mehr. Er würde niemandem die Erlösung verweigern, nur weil es von ihm erwartet wurde. Eine rechtschaffene Seele darf sich ihrer Rechtschaffenheit durchaus bewusst sein, und Mr Andrews war sich der seinen bewusst.

«Der Weg ist noch weit», sagte plötzlich eine Stimme, «aber mit angenehmer Unterhaltung wird er kürzer. Erlaube, dass wir gemeinsam reisen.»

«Sehr gern», erwiderte Mr Andrews. Er streckte seine Hand aus, und zusammen schwebten die beiden Seelen weiter aufwärts.

«Ich bin im Kampf gegen die Ungläubigen gefallen», sagte der andere frohlockend, «und ich gehe jetzt stracks den Freuden entgegen, von denen der Prophet spricht.»

«Du bist also kein Christ?» fragte Mr Andrews ernst.

«Nein, ich bin ein Rechtgläubiger. Du bist doch gewiss auch ein Moslem?»

«Nein», sagte Mr Andrews. «Ich bin ein Rechtgläubiger.»

Schweigend schwebten die beiden Seelen weiter hinauf, jedoch ohne einander loszulassen. «Ich gehöre aber der

church," he added gently. The word "broad" quavered strangely amid the inter-spaces.

"Relate to me your career," said the Turk at last.

"I was born of a decent middle-class family, and had my education at Winchester and Oxford. I thought of becoming a missionary, but was offered a post in the Board of Trade, which I accepted. At thirty-two I married, and had four children, two of whom have died. My wife survives me. If I had lived a little longer I should have been knighted."

"Now I will relate my career. I was never sure of my father, and my mother does not signify. I grew up in the slums of Salonika. Then I joined a band and we plundered the villages of the infidel. I prospered and had three wives, all of whom survive me. Had I lived a little longer I should have had a band of my own."

"A son of mine was killed travelling in Macedonia. Perhaps you killed him."

"It is very possible."

The two souls floated upward, hand in hand. Mr Andrews did not speak again, for he was filled with horror at the approaching tragedy. This man, so godless, so lawless, so cruel, so lustful, believed that he would be admitted into Heaven. And into what a heaven – a place full of the crude pleasures of a ruffian's life on earth! But Mr Andrews felt neither disgust nor moral indignation. He was only conscious of an immense pity, and his own virtues confronted him not at all. He longed to save the man whose hand he held more tightly, who, he thought, was now holding more tightly on to him. And when he reached the Gate of Heaven, instead of saying "Can I enter?" as he had intended, he cried out, "Cannot *he* enter?"

And at the same moment the Turk uttered the

liberalen Richtung an», fügte er sanft hinzu. Das Wört-chen «liberal» vibrierte seltsam zwischen den zwei Pausen.

«Erzähl mir, wie du gelebt hast», sagte endlich der Türke.

«Ich stamme aus einer gutbürgerlichen Familie und wurde in Winchester und Oxford erzogen. Eigentlich wollte ich Missionar werden, aber dann bot sich mir ein Posten im Handelsministerium, und ich nahm ihn an. Mit zwei-unddreißig heiratete ich. Wir hatten vier Kinder, von denen zwei schon tot sind. Meine Frau lebt noch. Hätte ich etwas länger gelebt, wäre ich geadelt worden.»

«Nun will ich dir erzählen, wie ich gelebt habe. Wer mein Vater war, habe ich nie erfahren, und meine Mutter tut nichts zur Sache. Ich wurde im Elendsviertel von Saloniki groß. Dann schloss ich mich einer Bande an, und wir raub-ten die Dörfer der Ungläubigen aus. Es ging mir gut. Ich hatte drei Frauen, die alle noch leben. Hätte ich etwas länger gelebt, wäre ich Räuberhauptmann geworden.»

«Einer meiner Söhne wurde ermordet, als er durch Ma-zedonien reiste. Vielleicht hast du ihn getötet.»

«Das ist durchaus möglich.»

Die beiden Seelen schwebten Hand in Hand weiter auf-wärts. Mr Andrews sagte nichts mehr, denn ihm graute vor der bevorstehenden Tragödie. Dieser durch und durch gott-lose, gesetzlose, grausame, lüsterne Mensch glaubte also, in den Himmel eingelassen zu werden. Und was für ein Himmel das war! Ein Ort, an dem es nur die rohen Freu-den aus dem Erdenleben ungehobelter Gesellen gab! Aber Mr Andrews empfand weder Abscheu noch Entrüstung. Ihn erfüllte nur tiefes Mitleid, und seine eigene Tugend-haftigkeit war ihm dabei keineswegs hinderlich. Er hatte das Verlangen, den Mann zu retten, dessen Hand er in der seinen hielt und dessen Griff, wie ihm schien, jetzt fester wurde. Und als er am Himmelstor ankam, sagte er nicht «Darf ich eintreten?» wie er es beabsichtigt hatte, sondern er rief: «Darf *er* nicht eintreten?»

Und im selben Augenblick tat der Türke den gleichen

same cry. For the same spirit was working in each of them.

From the gateway a voice replied, "Both can enter." They were filled with joy and pressed forward together.

Then the voice said, "In what clothes will you enter?"

"In my best clothes," shouted the Turk, "the ones I stole." And he clad himself in a splendid turban and a waistcoat embroidered with silver, and baggy trousers, and a great belt in which were stuck pipes and pistols and knives.

"And in what clothes will you enter?" said the voice to Mr Andrews.

Mr Andrews thought of his best clothes, but he had no wish to wear them again. At last he remembered and said, "Robes."

"Of what colour and fashion?" asked the voice.

Mr Andrews had never thought about the matter much. He replied, in hesitating tones, "White, I suppose, of some flowing soft material," and he was immediately given a garment such as he had described. "Do I wear it rightly?" he asked.

"Wear it as it pleases you," replied the voice. "What else do you desire?"

"A harp," suggested Mr Andrews. "A small one."

A small gold harp was placed in his hand.

"And a palm – no, I cannot have a palm, for it is the reward of martyrdom; my life has been tranquil and happy."

"You can have a palm if you desire it."

But Mr Andrews refused the palm, and hurried in his white robes after the Turk, who had already entered Heaven. As he passed in at the open gate, a man, dressed like himself, passed out with gestures of despair.

Ausruf, denn in jedem der beiden war derselbe Geist am Werk.

Vom Tor her erwiderte eine Stimme: «Ihr dürft beide eintreten.» Sie waren sehr erfreut und drängten gemeinsam voran.

Dann fragte die Stimme: «In welcher Art von Kleidung wollt ihr eintreten?»

«In meinen besten Sachen!» rief der Türke. «In denen, die ich gestohlen habe.» Und er setzte sich einen prächtigen Turban auf und legte eine silberbestickte Weste, Pluderhosen und einen breiten Gürtel an, in dem Pfeife, Pistolen und Messer staken.

«Und in welcher Kleidung willst du eintreten?» fragte die Stimme Mr Andrews.

Mr Andrews dachte zuerst an seinen besten Anzug, aber er hatte keine Lust, ihn noch einmal zu tragen. Endlich fiel es ihm ein, und er sagte: «In einem wallenden Gewand.»

«Von welcher Farbe und Machart?» fragte die Stimme.

Mr Andrews hatte nie viel über so etwas nachgedacht. Zögernd antwortete er: «Weiß, denke ich, und aus einem weichen, fließenden Stoff.» Und sogleich erhielt er ein Gewand, wie er es gerade beschrieben hatte. «Trage ich es richtig so?» erkundigte er sich.

«Trage es, wie es dir gefällt», entgegnete die Stimme. «Was wünschst du sonst noch?»

«Eine Harfe», bat Mr Andrews. «Eine kleine.»

Darauf wurde ihm eine kleine goldene Harfe in die Hand gedrückt.

«Und einen Palmenzweig. – Nein, ein Palmenzweig steht mir nicht zu. Das ist ja eine Auszeichnung für Märtyrer, und mein Leben war geruhsam und glücklich.»

«Du kannst einen haben, wenn du es wünschst.»

Doch Mr Andrews lehnte den Palmenzweig ab und eilte in seinem weißen Gewand hinter dem Türken her, der bereits in den Himmel eingetreten war. Gerade als er durch das offene Tor hineinging, kam ein Mann, der genauso gekleidet war wie er, mit Gesten der Verzweiflung heraus.

"Why is he not happy?" he asked.

The voice did not reply.

"And who are all those figures, seated inside on thrones and mountains? Why are some of them terrible, and sad, and ugly?"

There was no answer. Mr Andrews entered, and then he saw that those seated figures were all the gods who were then being worshipped on the earth. A group of souls stood round each, singing his praises. But the gods paid no heed, for they were listening to the prayers of living men, which alone brought them nourishment. Sometimes a faith would grow weak, and then the god of that faith also drooped and dwindled and fainted for his daily portion of incense. And sometimes, owing to a revivalist movement, or to a great commemoration, or to some other cause, a faith would grow strong, and the god of that faith grow strong also. And, more frequently still, a faith would alter, so that the features of its god altered and became contradictory, and passed from ecstasy to respectability, or from mildness and universal love to the ferocity of battle. And at times a god would divide into two gods, or three, or more, each with his own ritual and precarious supply of prayer.

Mr Andrews saw Buddha, and Vishnu, and Allah, and Jehovah, and the Elohim. He saw little ugly determined gods who were worshipped by a few savages in the same way. He saw the vast shadowy outlines of the neo-Pagan Zeus. There were cruel gods, and coarse gods, and tortured gods, and, worse still, there were gods who were peevish, or deceitful, or vulgar. No aspiration of humanity was unfulfilled. There was even an intermediate state for those who wished it, and for the Christian Scientists a place where they could demonstrate that they had not died.

«Warum ist er denn nicht glücklich?» fragte er.

Die Stimme antwortete nicht.

«Und wer sind all diese Gestalten, die dort drinnen auf Thronen und Berggipfeln sitzen? Warum sehen manche von ihnen so abstoßend und traurig und hässlich aus?»

Er erhielt keine Antwort. Mr Andrews trat ein, und dann sah er, dass jene sitzenden Gestalten die Götter waren, die derzeit auf Erden verehrt wurden. Um jeden dieser Götter war eine Schar von Seelen versammelt, die ihn lobpreisten. Die Götter achteten aber nicht darauf, da sie nur auf die Gebete der Lebenden lauschten, die ihr Labsal waren. Manchmal wurde ein Glaube schwächer, dann sank auch der Gott dieses Glaubens in sich zusammen, schrumpfte und wurde bewusstlos, wenn er nicht seine tägliche Weihrauchgabe erhielt. Manchmal erstarkte ein Glaube dank einer Erneuerungsbewegung oder einer großen Erinnerungsfeier oder aus einem anderen Grund, und dann kam der Gott dieses Glaubens ebenfalls wieder zu Kräften. Noch häufiger aber wandelte sich ein Glaube, so dass sich die Gesichtszüge des Gottes gleichfalls veränderten und ganz Gegensätzliches ausdrückten, Verzückung ebenso wie Nüchternheit, oder Güte und allumfassende Liebe ebenso wie kämpferische Wildheit. Gelegentlich spaltete sich ein Gott in zwei, drei oder mehr Götter, von denen jeder seine eigenen Rituale und eine Anzahl zeitweiliger Gebete hatte.

Mr Andrews sah Buddha und Vischnu und Allah und Jehova und die Elohim. Er sah kleine, hässliche, zu allem entschlossene Götter, die von ein paar Wilden entsprechend verehrt wurden. Er sah die gewaltigen, schemenhaften Umrisse des Zeus der neuheidnischen Religion. Da gab es grausame Götter und plumpe Götter und gequälte Götter und, was noch ärger war, mürrische, lügnerische und ungebildete Götter. Nichts, was Menschen sich ausdenken mochten, blieb hier unerfüllt. Es gab sogar für diejenigen, die es wünschten, einen Zwischenzustand sowie einen Ort für die Anhänger der Christlichen Wissenschaft, an dem sie dartun konnten, dass sie gar nicht gestorben waren.

He did not play his harp for long, but hunted vainly for one of his dead friends. And though souls were continually entering Heaven, it still seemed curiously empty. Though he had all that he expected, he was conscious of no great happiness, no mystic contemplation of beauty, no mystic union with good. There was nothing to compare with that moment outside the gate, when he prayed that the Turk might enter and heard the Turk uttering the same prayer for him. And when at last he saw his companion, he hailed him with a cry of human joy.

The Turk was seated in thought, and round him, by sevens, sat the virgins who are promised in the Koran.

"Oh, my dear friend!" he called out. "Come here and we will never be parted, and such as my pleasures are, they shall be yours also. Where are my other friends? Where are the men whom I love, or whom I have killed ?"

"I, too, have only found you," said Mr Andrews. He sat down by the Turk, and the virgins, who were all exactly alike, ogled them with coal black eyes.

"Though I have all that I expected," said the Turk, "I am conscious of no great happiness. There is nothing to compare with that moment outside the gate when I prayed that you might enter, and heard you uttering the same prayer for me. These virgins are as beautiful and good as I had fashioned, yet I could wish that they were better."

As he wished, the forms of the virgins became more rounded, and their eyes grew larger and blacker than before. And Mr Andrews, by a wish similar in kind, increased the purity and softness of his garment and the glitter of his harp. For in that place their expectations were fulfilled, but not their hopes.

Mr Andrews spielte nicht lange auf seiner Harfe, sondern versuchte stattdessen vergeblich, wenigstens einen seiner verstorbenen Freunde wiederzufinden. Aber obgleich fortwährend neue Seelen den Himmel betraten, erschien er ihm sonderbar leer. Zwar hatte er alles, was er sich erträumt hatte, empfand aber trotzdem kein großes Glück, keine mystische Versenkung in das Schöne, keine mystische Einheit mit Gott. Da war nichts, was dem Augenblick draußen vor dem Tor gleichkam, als er darum bat, man möge den Türken einlassen, und hörte, wie der Türke für ihn dieselbe Bitte aussprach. Als er seinen Gefährten endlich entdeckte, begrüßte er ihn daher mit einem Ausruf menschlicher Freude.

Der Türke saß gedankenverloren da, und um ihn herum lagerten in Gruppen zu je sieben die Jungfrauen, die der Koran verheißt.

«Ah, mein lieber Freund!» rief er. «Komm zu mir. Wir wollen uns nie wieder trennen, und meine bescheidenen Freuden sollen auch die deinen sein. Wo sind nur meine anderen Freunde? Wo sind die Menschen, die ich liebe oder die ich getötet habe?»

«Auch ich habe nur dich gefunden», sagte Mr Andrews. Er setzte sich zu dem Türken, und die Jungfrauen, die einander völlig glichen, sahen sie mit kohlschwarzen Augen an.

«Ich habe zwar alles, was ich mir erträumt hatte», sagte der Türke, «empfinde aber trotzdem kein großes Glück. Es gibt nichts, was dem Augenblick draußen vor dem Tor gleichkäme, als ich darum bat, man möge dich einlassen, und hörte, wie du für mich dieselbe Bitte aussprachst. Diese Jungfrauen sind so schön und gut, wie ich sie mir vorgestellt habe, aber ich wünschte, sie wären noch besser.»

Kaum hatte er diesen Wunsch geäußert, da erhielten die Jungfrauen noch üppigere Formen, und ihre Augen waren noch größer und schwärzer als zuvor. Und aufgrund eines ähnlich gearteten Wunsches wurde Mr Andrews' Gewand noch reiner und weicher und seine Harfe noch glänzender. Denn an diesem Ort wurden zwar ihre Erwartungen erfüllt, nicht aber ihre Sehnsüchte.

"I am going," said Mr Andrews at last. "We desire infinity and we cannot imagine it. How can we expect it to be granted? I have never imagined anything infinitely good or beautiful excepting in my dreams."

"I am going with you," said the other.

Together they sought the entrance gate, and the Turk parted with his virgins and his best clothes, and Mr Andrews cast away his robes and his harp.

"Can we depart?" they asked.

"You can both depart if you wish," said the voice, "but remember what lies outside."

As soon as they passed the gate, they felt again the pressure of the world soul. For a moment they stood hand in hand resisting it. Then they suffered it to break in upon them, and they, and all the experience they had gained, and all the love and wisdom they had generated, passed into it, and made it better.

«Ich gehe», sagte Mr Andrews endlich. «Wir sehnen uns nach Unendlichkeit, können sie uns aber nicht vorstellen. Wie können wir da erwarten, dass sie uns gewährt wird? Ich habe mir nie etwas unendlich Gutes oder Schönes vorstellen können außer in meinen Träumen.»

«Ich komme mit dir», sagte der andere.

Gemeinsam gingen sie zum Eingang, und während der Türke sich von den Jungfrauen und seinen besten Kleidern trennte, warf Mr Andrews sein Gewand und die Harfe beiseite.

«Können wir wieder gehen?» fragten sie.

«Ihr könnt beide gehen, wenn ihr wollt», sagte die Stimme, «aber bedenkt, was euch draußen erwartet.»

Kaum hatten sie das Tor durchschritten, spürten sie wieder den Druck der Weltseele. Einen Augenblick standen sie Hand in Hand da und widersetzten sich ihm. Dann ließen sie sich überwältigen, und mit all ihren Erfahrungen und mit der Liebe und Weisheit, die sie hervorgebracht hatten, gingen sie in der Weltseele auf und machten sie reicher.

"Pictures," said Mr Bigger; "you want to see some pictures? Well, we have a very interesting mixed exhibition of modern stuff in our galleries at the moment. French and English, you know."

The customer held up his hand, shook his head. "No, no. Nothing modern for me," he declared, in his pleasant northern English. "I want real pictures, old pictures. Rembrandt and Sir Joshua Reynolds and that sort of thing."

"Perfectly." Mr Bigger nodded. "Old Masters. Oh, of course we deal in the old as well as the modern."

"The fact is," said the other, "I've just bought a rather large house – a Manor House," he added, in impressive tones.

Mr Bigger smiled; there was an ingenuousness about this simple-minded fellow which was most engaging. He wondered how the man had made his money. "A Manor House." The way he said it was really charming. Here was a man who had worked his way up from serfdom to the lordship of a manor, from the broad base of the feudal pyramid to the narrow summit. His own history and all the history of classes had been implicit in that awed proud emphasis on the "Manor." But the stranger was running on; Mr Bigger could not allow his thoughts to wander farther. "In a house of this style," he was saying, "and with a position like mine to keep up, one must have a few pictures. Old Masters, you know; Rembrandts and What's-his-names."

"Of course," said Mr Bigger, "an Old Master is a symbol of social superiority."

"That's just it," cried the other, beaming; "you've said just what I wanted to say."

Mr Bigger bowed and smiled. It was delightful to

«Gemälde», sagte Mr Bigger, «Sie möchten sich ein paar Gemälde ansehen? Wir haben gerade eine sehr interessante Ausstellung verschiedener moderner Sachen in unserer Sammlung. Französische und englische, wissen Sie.»

Der Kunde hob die Hand und schüttelte den Kopf. «Nein, nein. Für mich nichts Modernes», erklärte er in seinem netten Nordenglisch. «Ich möchte richtige Bilder, alte Bilder. Rembrandt und Joshua Reynolds, etwas in der Art.»

«Verstehe.» Mr Bigger nickte. «Alte Meister. Oh, natürlich führen wir alte ebenso wie moderne.»

«Die Sache ist die», sagte der andere, «dass ich gerade ein ziemlich großes Haus gekauft habe – einen Landsitz», fügte er mit eindrucksvoller Betonung hinzu.

Mr Bigger lächelte; dieser einfältige Zeitgenosse hatte eine höchst anziehende Unbefangenheit. Er hätte gerne gewusst, wie dieser Mann wohl zu seinem Geld gekommen war. «Ein Landsitz.» Die Art, wie er das gesagt hatte, war wirklich entzückend. Da war also ein Mann, der sich aus der Leibeigenschaft zum Herrenstand eines Landsitzbewohners emporgearbeitet hatte, von der breiten Basis der Feudalpyramide zu ihrer schmalen Spitze. Seine eigene Lebensgeschichte und die ganze Geschichte der Gesellschaftsklassen hatte in dieser ehrfurchtgebietenden stolzen Betonung des Wortes «Landsitz» gelegen. Aber der Fremde sprach weiter; Mr Bigger durfte seinen Gedanken nicht weiter freien Lauf lassen. «In einem Haus von solchem Stil», sagte er gerade, «und wenn man sich einer Stellung wie der meinen würdig erweisen will, braucht man ein paar Bilder. Alte Meister, wissen Sie; Rembrandt und Dingsda…»

«Selbstverständlich», sagte Mr Bigger, «ein alter Meister ist ein Symbol sozialer Überlegenheit.»

«So ist es», rief der andere strahlend, «Sie haben genau das gesagt, was ich sagen wollte.»

Mr Bigger machte eine Verbeugung und lächelte. Es war

find some one who took one's little ironies as sober seriousness.

"Of course, we should only need Old Masters downstairs, in the reception-room. It would be too much of a good thing to have them in the bed-rooms too."

"Altogether too much of a good thing," Mr Big-ger assented.

"As a matter of fact," the Lord of the Manor went on, "my daughter – she does a bit of sketch-ing. And very pretty it is. I'm having some of her things framed to hang in the bedrooms. It's useful having an artist in the family. Saves you buying pictures. But, of course, we must have something old downstairs."

"I think I have exactly what you want." Mr Big-ger got up and rang the bell. " My daughter does a little sketching" – he pictured a large, blonde, barmaidish personage, thirty-one and not yet married, running a bit to seed. His secretary ap-peared at the door. "Bring me the Venetian portrait, Miss Pratt, the one in the back room. You know which I mean."

"You're very snug in here," said the Lord of the Manor. "Business good, I hope."

Mr Bigger sighed. "The slump," he said. "We art dealers feel it worse than any one."

"Ah, the slump." The Lord of the Manor chuck-led. "I foresaw it all the time. Some people seemed to think the good times were going to last for ever. What fools ! I sold out of everything at the crest of the wave. That's why I can buy pictures now."

Mr Bigger laughed too. This was the right sort of customer. "Wish I'd had anything to sell out during the boom," he said.

The Lord of the Manor laughed till the tears rolled down his cheeks. He was still laughing when

köstlich, jemanden gefunden zu haben, der einem seine kleinen ironischen Bemerkungen als vollen Ernst abnahm.

«Natürlich werden wir alte Meister nur unten in der Empfangshalle brauchen. Es wäre wohl zu viel des Guten, auch noch welche in die Schlafzimmer zu hängen.»

«Ja, allerdings wäre das zu viel des Guten», bestätigte Mr Bigger.

«Nämlich», fuhr der Herr des Landsitzes fort, «meine Tochter – die zeichnet ein bisschen. Sehr schön sogar. Ich lasse gerade ein paar von ihren Sachen rahmen, um sie in den Schlafzimmern aufzuhängen. Sehr nützlich, einen Künstler in der Familie zu haben. Braucht man keine Bilder zu kaufen. Aber unten müssen wir natürlich was Altes haben.»

«Ich glaube, ich habe genau das, was Sie wünschen.» Mr Bigger stand auf und drückte auf die Klingel. «Meine Tochter zeichnet ein bisschen» – er stellte sich eine große, blonde, wie eine Kellnerin aussehende Person vor, einunddreißig Jahre alt, noch nicht verheiratet und schon etwas verblüht. Seine Sekretärin erschien in der Tür. «Bringen Sie mir das venezianische Portrait, Miss Pratt, das aus dem hinteren Raum. Sie wissen schon, welches ich meine.»

«Sie haben es sehr gemütlich hier», sagte der Herr des Landsitzes, «die Geschäfte gehen gut, hoffe ich.»

Mr Bigger seufzte. «Die Wirtschaftskrise», sagte er, «wir Kunsthändler spüren sie schlimmer als irgend jemand.»

«Ah, die Wirtschaftskrise.» Der Herr des Landsitzes kicherte. «Ich habe sie die ganze Zeit vorausgesehen. Manche Leute haben offenbar geglaubt, es würde immer so weitergehen mit den guten Zeiten. Dummköpfe! Ich habe alles noch auf dem Kamm der Welle verkauft. Deshalb kann ich jetzt Bilder kaufen.»

Mr Bigger lachte ebenfalls. Das war der richtige Kunde. «Ich wünschte, ich hätte während der Hochkonjunktur etwas für den Ausverkauf gehabt», sagte er.

Der Herr des Landsitzes lachte, bis ihm die Tränen über die Wangen liefen. Er lachte noch, als Miss Pratt das Zim-

Miss Pratt re-entered the room. She carried a picture, shieldwise, in her two hands, before her.

"Put it on the easel, Miss Pratt," said Mr Bigger. "Now," he turned to the Lord of the Manor, "what do you think of that?"

The picture that stood on the easel before them was a half-length portrait. Plump-faced, white-skinned, high-bosomed in her deeply scalloped dress of blue silk, the subject of the picture seemed a typical Italian lady of the middle eighteenth century. A little complacent smile curved the pouting lips, and in one hand she held a black mask, as though she had just taken it off after a day of carnival.

"Very nice," said the Lord of the Manor; but he added doubtfully, "It isn't very like Rembrandt, is it? It's all so clear and bright. Generally in Old Masters you can never see anything at all, they're so dark and foggy."

"Very true," said Mr Bigger. "But not all Old Masters are like Rembrandt."

"I suppose not." The Lord of the Manor seemed hardly to be convinced.

"This is eighteenth-century Venetian. Their colour was always luminous. Giangolini was the painter. He died young, you know. Not more than half a dozen of his pictures are known. And this is one."

The Lord of the Manor nodded. He could appreciate the value of rarity.

"One notices at a first glance the influence of Longhi," Mr Bigger went on airily. "And there is something of the morbidezza of Rosalba in the painting of the face."

The Lord of the Manor was looking uncomfortably, from Mr Bigger to the picture and from the picture to Mr Bigger. There is nothing so embar-

mer wieder betrat. Sie trug ein Gemälde mit beiden Händen vor sich her wie einen Schild.

«Stellen Sie es auf die Staffelei, Miss Pratt», sagte Mr Bigger. «Na», meinte er, zum Herrn des Landsitzes gewandt, «was halten Sie davon?»

Das Gemälde, das da vor ihnen auf der Staffelei stand, war ein Brustbild. Gegenstand des Portraits, mit vollen Gesichtszügen, weißer Haut und hohem Busen in einem tief ausgeschnittenen blauen Seidenkleid, schien eine typische italienische Dame aus der Mitte des achtzehnten Jahrhunderts zu sein. Ein selbstzufriedenes Lächeln verzog ihre schmollenden Lippen, und in der einen Hand hielt sie eine schwarze Maske, als hätte sie sie gerade nach einem Karnevalstag abgenommen.

«Sehr hübsch», sagte der Herr des Landsitzes; aber er setzte misstrauisch hinzu: «Es sieht gar nicht so recht nach Rembrandt aus, nicht wahr? Es ist alles so klar und hell. Bei alten Meistern kann man doch im allgemeinen gar nichts erkennen, die sind doch so ganz dunkel und trübe.»

«Sehr wahr», sagte Mr Bigger. «Aber nicht alle alten Meister sind wie Rembrandt.»

«Mag sein.» Der Herr des Landsitzes schien nicht ganz überzeugt.

«Dies ist ein Venezianer aus dem achtzehnten Jahrhundert. Die hatten stets leuchtende Farben. Giangolini hieß der Maler. Er ist jung gestorben, müssen Sie wissen. Es sind nicht mehr als ein halbes Dutzend seiner Gemälde bekannt. Und dies ist eines davon.»

Der Herr des Landsitzes nickte. Den Wert der Seltenheit wusste er zu schätzen.

«Man bemerkt auf den ersten Blick den Einfluss von Longhi», fuhr Mr Bigger lebhaft fort. «Und in der Auffassung des Gesichts liegt etwas von der Morbidezza Rosalbas.»

Der Herr des Landsitzes blickte unbehaglich von Mr Bigger zum Bild und vom Bild zu Mr Bigger. Nichts bringt

rassing as to be talked at by some one possessing more knowledge than you do. Mr Bigger pressed his advantage.

"Curious," he went on, "that one sees nothing of Tiepolo's manner in this. Don't you think so?"

The Lord of the Manor nodded. His face wore a gloomy expression. The corners of his baby's mouth drooped. One almost expected him to burst into tears.

"It's pleasant," said Mr Bigger, relenting at last, "to talk to somebody who really knows about painting. So few people do."

"Well, I can't say I've ever gone into the subject very deeply," said the Lord of the Manor modestly. "But I know what I like when I see it." His face brightened again, as he felt himself on safer ground.

"A natural instinct," said Mr Bigger. "That's a very precious gift. I could see by your face that you had it; I could see that the moment you came into the gallery."

The Lord of the Manor was delighted. "Really, now," he said. He felt himself growing larger, more important. "Really." He cocked his head critically on one side. "Yes. I must say I think that's a very fine bit of painting. Very fine. But the fact is, I should rather have liked a more historical piece, if you know what I mean. Something more ancestor-like, you know. A portrait of somebody with a story – like Anne Boleyn, or Nell Gwynn, or the Duke of Wellington, or some one like that."

"But, my dear sir, I was just going to tell you. This picture has a story." Mr Bigger leaned forward and tapped the Lord of the Manor on the knee. His eyes twinkled with benevolent and amused brightness under his bushy eyebrows.

einen mehr in Verlegenheit, als wenn einem jemand etwas erzählt, der mehr Kenntnisse hat als man selbst. Mr Bigger nützte seinen Vorteil aus.

«Erstaunlich», fuhr er fort, «dass man nichts von Tiepolos Malweise hier erkennt. Finden Sie nicht auch?»

Der Herr des Landsitzes nickte. Sein Gesicht zeigte einen schwermütigen Ausdruck. Die Winkel seines Kindermundes hingen schlaff herunter. Fast erwartete man, er werde in Tränen ausbrechen.

«Es ist ein Genuss», sagte Mr Bigger und ließ sich endlich erweichen, «mit jemandem zu sprechen, der wirklich etwas von Malerei versteht. Das ist bei so wenigen Menschen der Fall.»

«Nun, ich kann nicht sagen, dass ich sehr tief in die Materie eingedrungen wäre», meinte der Herr des Landsitzes bescheiden. «Aber ich weiß, was mir gefällt, wenn ich es sehe.» Sein Gesicht hellte sich auf, weil er sich wieder auf festem Boden fühlte.

«Ein natürlicher Instinkt», sagte Mr Bigger. «Das ist eine sehr wertvolle Gabe. Ich konnte es Ihrem Gesicht ansehen, dass Sie diese Gabe haben, ich konnte das in dem Augenblick sehen, als Sie die Galerie betraten.»

Der Herr des Landsitzes war entzückt. «Nun ja», sagte er. Er fühlte sich größer, bedeutender werden. «Nun ja.» Er legte den Kopf kritisch auf die Seite. «Doch, ich muss zugeben, das ist etwas sehr Schönes, ein sehr gutes Bild. Aber eigentlich wäre mir eine mehr historische Sache lieber gewesen, wenn Sie wissen, was ich damit meine. Etwas mehr Ahnenhaftes, wissen Sie. Ein Portrait von jemandem mit einer Geschichte – so jemand wie Anne Boleyn oder wie Nell Gwynn oder wie der Herzog von Wellington oder so jemand.»

«Aber mein lieber Herr, das wollte ich Ihnen ja gerade erzählen. Dieses Gemälde hat eine Geschichte.» Mr Bigger lehnte sich vor und berührte den Herrn des Landsitzes am Knie. Seine Augen funkelten vor wohlwollender und belustigter Lebhaftigkeit unter den buschigen Augenbrauen.

There was a knowing kindliness in his smile. "A most remarkable story is connected with the painting of that picture."

"You don't say so?" The Lord of the Manor raised his eyebrows.

Mr Bigger leaned back in his chair. "The lady you see there," he said, indicating the portrait with a wave of the hand, "was the wife of the fourth Earl Hurtmore. The family is now extinct. The ninth Earl died only last year. I got this picture when the house was sold up. It's sad to see the passing of these old ancestral homes." Mr Bigger sighed. The Lord of the Manor looked solemn, as though he were in church. There was a moment's silence; then Mr Bigger went on in a changed tone. "From his portraits, which I have seen, the fourth Earl seems to have been a long-faced, gloomy, grey-looking fellow. One can never imagine him young; he was the sort of man who looks permanently fifty. His chief interests in life were music and Roman antiquities. There's one portrait of him holding an ivory flute in one hand and resting the other on a fragment of Roman carving. He spent at least half his life travelling in Italy, looking for antiques and listening to music. When he was about fifty-five, he suddenly decided that it was about time to get married. This was the lady of his choice." Mr Bigger pointed to the picture. "His money and his title must have made up for many deficiencies. One can't imagine, from her appearance, that Lady Hurtmore took a great deal of interest in Roman antiquities. Nor, I should think, did she care much for the science and history of music. She liked clothes, she liked society, she liked gambling, she liked flirting, she liked enjoying herself. It doesn't seem that the newly wedded couple got on too well. But still, they avoided an open breach. A year

Verschmitzte Freundlichkeit lag in seinem Lächeln. «Eine höchst bemerkenswerte Geschichte ist mit dem Zustandekommen dieses Gemäldes verbunden.»

«Was Sie nicht sagen?» Der Herr des Landsitzes hob die Augenbrauen.

Mr Bigger lehnte sich in den Stuhl zurück. «Die Dame, die Sie hier sehen», sagte er und zeigte mit einer Handbewegung auf das Bild, «war die Frau des vierten Grafen Hurtmore. Die Familie ist jetzt erloschen. Der neunte Graf ist erst im letzten Jahr gestorben. Ich erwarb dieses Gemälde, als das Haus versteigert wurde. Es ist betrüblich, dem Untergang dieser alten Stammschlösser beizuwohnen.» Mr Bigger seufzte. Der Herr des Landsitzes blickte feierlich, als wäre er in der Kirche. Einen Augenblick herrschte Schweigen, dann fuhr Mr Bigger mit veränderter Stimme fort: «Nach seinen Portraits zu schließen, die ich gesehen habe, war der vierte Graf ein langschädeliger, düsterer Bursche von grauer Gesichtsfarbe. Man kann sich nicht vorstellen, dass er jemals jung war; er gehörte zu denen, die immer wie fünfzig aussehen. Seine Hauptinteressen im Leben waren Musik und römische Altertümer. Es gibt ein Portrait von ihm, auf dem er eine elfenbeinerne Flöte in der einen Hand hält und die andere Hand auf das Bruchstück einer römischen Plastik stützt. Er hat mindestens sein halbes Leben auf Italienreisen zugebracht, auf der Suche nach Altertümern und um Musik zu hören. Als er etwa fünfundfünfzig Jahre alt war, fand er plötzlich, es sei jetzt an der Zeit, zu heiraten. Und dies war die Dame seiner Wahl.» Mr Bigger deutete auf das Bild. «Sein Geld und sein Titel mussten sicher manche Mängel ausgleichen. Nach ihrem Aussehen kann man sich nicht vorstellen, dass Lady Hurtmore besonders großes Interesse an römischen Altertümern hatte. Sie wird sich auch, meine ich, nicht viel um Musikgeschichte und Musikwissenschaft gekümmert haben. Sie liebte Kleider, sie liebte Geselligkeit, sie liebte das Glücksspiel, sie liebte den Flirt, sie wollte ihr Vergnügen. Es scheint, als habe sich das jungvermählte Paar nicht all-

after the marriage Lord Hurtmore decided to pay another visit to Italy. They reached Venice in the early autumn. For Lord Hurtmore, Venice meant unlimited music. It meant Galuppi's daily concerts at the orphanage of the Misericordia. It meant Piccini at Santa Maria. It meant new operas at the San Moise; it meant delicious cantatas at a hundred churches. It meant private concerts of amateurs; it meant Porpora and the finest singers in Europe; it meant Tartini and the greatest violinists. For Lady Hurtmore, Venice meant something rather different. It meant gambling at the Ridotto, masked balls, gay supper-parties – all the delights of the most amusing city in the world. Living their separate lives, both might have been happy here in Venice almost indefinitely. But one day Lord Hurtmore had the disastrous idea of having his wife's portrait painted. Young Giangolini was recommended to him as the promising, the coming painter. Lady Hurtmore began her sittings. Giangolini was handsome and dashing, Giangolini was young. He had an amorous technique as perfect as his artistic technique. Lady Hurtmore would have been more than human if she had been able to resist him. She was not more than human."

"None of us are, eh?" The Lord of the Manor dug his finger into Mr Bigger's ribs and laughed.

Politely, Mr Bigger joined in his mirth; when it had subsided, he went on. "In the end they decided to run away together across the border. They would live at Vienna – live on the Hurtmore family jewels, which the lady would be careful to pack in her suit-case. They were worth upwards of twenty thousand, the Hurtmore jewels; and in Vienna, under Maria-Theresa, one could live handsomely on the interest of twenty thousand.

"The arrangements were easily made. Giangoli-

zugut verstanden. Aber sie vermieden doch den offenen Bruch. Ein Jahr nach der Hochzeit beschloss Lord Hurtmore, wieder nach Italien zu reisen. Im Frühherbst kamen sie in Venedig an. Für Lord Hurtmore bedeutete Venedig unendlich viel Musik. Es bedeutete Galuppis tägliche Konzerte im Waisenhaus zur Misericordia. Es bedeutete Piccini in Santa Maria. Es bedeutete neue Opern in San Moisé; es bedeutete wunderbare Konzerte in hundert Kirchen. Es bedeutete private Liebhaberkonzerte; es bedeutete Porpora und die besten Sänger Europas; es bedeutete Tartini und die größten Geiger. Für Lady Hurtmore bedeutete Venedig etwas erheblich anderes. Es bedeutete Glücksspiel im Ridotto, Maskenbälle, lustige Abendgesellschaften – die ganzen Freuden der unterhaltsamsten Stadt der Welt. Hätte jeder sein Leben für sich gelebt, so hätten beide hier in Venedig auf fast unbegrenzte Zeit glücklich leben können. Aber eines Tages kam Lord Hurtmore auf den unheilvollen Gedanken, das Portrait seiner Frau malen zu lassen. Der junge Giangolini wurde ihm als der vielversprechende, als der kommende Maler genannt. Lady Hurtmore begann ihre Sitzungen. Giangolini war verwirrend schön, Giangolini war jung. Seine Fertigkeit in der Liebe war so vollkommen wie seine Fertigkeit in der Kunst. Lady Hurtmore hätte ein übermenschliches Wesen sein müssen, um ihm widerstehen zu können. Sie war kein übermenschliches Wesen.»

«Wir beide auch nicht, oder?» Der Herr des Landsitzes stieß Mr Bigger mit dem Finger in die Rippen und lachte.

Mr Bigger schloss sich seiner Fröhlichkeit höflich an; als sie nachgelassen hatte, fuhr er fort: «Schließlich wollten sie zusammen über die Grenze entfliehen. Sie würden in Wien leben – vom Familienschmuck der Hurtmores, den die Lady sorgfältig in ihr Köfferchen packen würde. Er war über zwanzigtausend Pfund wert, der Schmuck der Hurtmores, und im Wien der Maria Theresia konnte man von den Zinsen von zwanzigtausend Pfund recht großzügig leben.

Die Vorbereitungen waren rasch getroffen. Giangolini

ni had a friend who did everything for them – got them passports under an assumed name, hired horses to be in waiting on the mainland, placed his gondola at their disposal. They decided to flee on the day of the last sitting. The day came. Lord Hurtmore, according to his usual custom, brought his wife to Giangolini's studio in a gondola, left her there, perched on the high-backed model's throne, and went off again to listen to Galuppi's concert at the Misericordia. It was the time of full carnival. Even in broad daylight people went about in masks. Lady Hurtmore wore one of black silk – you see her holding it, there, in the portrait. Her husband, though he was no reveller and disapproved of carnival junketings, preferred to conform to the grotesque fashion of his neighbours rather than attract attention to himself by not conforming.

"The long black cloak, the huge three-cornered black hat, the long-nosed mask of white paper were the ordinary attire of every Venetian gentleman in these carnival weeks. Lord Hurtmore did not care to be conspicuous; he wore the same. There must have been something richly absurd and incongruous in the spectacle of this grave and solemn-faced English milord dressed in the clown's uniform of a gay Venetian masker. 'Pantaloon in the clothes of Pulcinella,' was how the lovers described him to one another; the old dotard of the eternal comedy, dressed up as the clown. Well, this morning, as I have said, Lord Hurtmore came as usual in his hired gondola, bringing his lady with him. And she in her turn was bringing, under the folds of her capacious cloak, a little leather box wherein, snug on their silken bed, reposed the Hurtmore jewels. Seated in the dark little cabin of the gondola they watched the churches, the richly fretted palazzi, the high mean houses gliding past them.

hatte einen Freund, der alles für sie erledigte – er besorgte
ihnen Pässe unter falschen Namen, mietete Pferde, die auf
dem Festland warten sollten, und er stellte ihnen seine
Gondel zur Verfügung. Sie beschlossen, am Tag der letzten
Sitzung zu fliehen. Der Tag kam. Lord Hurtmore brachte
nach seiner Gewohnheit seine Gattin in einer Gondel zu
Giangolinis Atelier, sah sie dort noch auf dem Modellstuhl
mit der hohen Lehne sitzen und ging wieder fort, um Galuppis Konzert in der Misericordia zu hören. Es war die
hohe Zeit des Karnevals. Selbst im hellen Tageslicht liefen
die Leute in Masken herum. Lady Hurtmore trug eine aus
schwarzer Seide – Sie sehen, sie trägt sie auch hier auf
dem Bild. Ihr Gatte war zwar kein Lebemann und missbil-
ligte die Karnevalsbelustigungen, aber dennoch passte er
sich lieber den grotesken Sitten seiner Nachbarn an, als
durch mangelnde Anpassung die Aufmerksamkeit auf sich
zu lenken.

Ein langer schwarzer Mantel, ein großer schwarzer
Dreispitz und eine langnasige weiße Pappmaske bildeten
die übliche Kleidung jedes venezianischen Herrn in diesen
Karnevalswochen. Lord Hurtmore lag nichts daran, aufzu-
fallen; er trug dasselbe. Er muss einen großartig albernen
und widersinnigen Anblick geboten haben, dieser ernste
und feierlich dreinschauende englische Lord im Narren-
gewand einer lustigen venezianischen Maske. ‹Pantalone
in den Kleidern von Pulcinella› – so nannten ihn die Liebenden untereinander; der verliebte Tattergreis der unsterbli-
chen Komödie, als Clown herausstaffiert. Nun gut, an
diesem Morgen also kam Lord Hurtmore, wie gesagt, wie
gewöhnlich in seiner Mietgondel und brachte seine Gattin
mit. Und sie ihrerseits brachte in den Falten ihres weiten
Mantels ein kleines Lederkästchen mit, in dem, wohlver-
wahrt in seidener Polsterung, der Hurtmore-Schmuck ruhte.
Sie saßen in der dunklen kleinen Kabine der Gondel und
sahen zu, wie die Kirchen, die reich mit Maßwerk verzier-
ten Palazzi und die hohen, ärmlichen Bürgerhäuser an ihnen vorbeiglitten. Hinter seiner Hanswurst-Maske hervor

From under his Punch's mask Lord Hurtmore's voice spoke gravely, slowly, imperturbably.

"'The learned Father Martini,' he said, 'has promised to do me the honour of coming to dine with us to-morrow. I doubt if any man knows more of musical history than he. I will ask you to be at pains to do him special honour.'

"'You may be sure I will, my lord.' She could hardly contain the laughing excitement that bubbled up within her. To-morrow at dinner-time she would be far away – over the frontier, beyond Gorizia, galloping along the Vienna road. Poor old Pantaloon! But no, she wasn't in the least sorry for him. After all, he had his music, he had his odds and ends of broken marble. Under her cloak she clutched the jewel-case more tightly. How intoxicatingly amusing her secret was!"

Mr Bigger clasped his hands and pressed them dramatically over his heart. He was enjoying himself. He turned his long, foxy nose towards the Lord of the Manor, and smiled benevolently. The Lord of the Manor for his part was all attention.

"Well?" he inquired.

Mr Bigger unclasped his hands, and let them fall on to his knees.

"Well," he said, "the gondola draws up at Giangolini's door, Lord Hurtmore helps his wife out, leads her up to the painter's great room on the first floor, commits her into his charge with his usual polite formula, and then goes off to hear Galuppi's morning concert at the Misericordia. The lovers have a good two hours to make their final preparations.

"Old Pantaloon safely out of sight, up pops the painter's useful friend, masked and cloaked like every one else in the canals of this carnival Venice. There follow embracements and handshakings and

ertönte Lord Hurtmores ernste, bedächtige, gleichmütige Stimme.

‹Der gelehrte Pater Martini›, sagte er, ‹hat zugesagt, mir die Ehre zu erweisen, morgen zum Mittagessen zu uns zu kommen. Ich glaube nicht, dass irgend jemand mehr von Musikgeschichte versteht als er. Ich möchte Euch bitten, darauf bedacht zu sein, ihm besonderes ehrerbietig zu begegnen.›

‹Verlasst Euch darauf, Milord.› Dabei konnte sie kaum den Lachreiz bändigen, der in ihr aufstieg. Morgen zur Mittagszeit würde sie weit weg sein – jenseits der Grenze, hinter Görz, im Galopp auf der Straße nach Wien. Armer alter Pantalone! Aber nein, er tat ihr nicht im geringsten leid. Er hatte schließlich seine Musik, er hatte den alten Plunder seiner Marmortrümmer. Unter ihrem Mantel fasste sie das Schmuckkästchen fester. Wie berauschend lustig war ihr Geheimnis!»

Mr Bigger faltete die Hände und drückte sie dramatisch auf sein Herz. Er unterhielt sich prächtig. Er wandte seine lange Fuchsnase dem Herrn des Landsitzes zu und lächelte wohlwollend. Der Herr des Landsitzes seinerseits war ganz Ohr.

«Und dann?» fragte er.

Mr Bigger nahm die Hände auseinander und ließ sie auf seine Knie fallen.

«Und dann», sagte er, «fährt die Gondel vor Giangolinis Tür, Lord Hurtmore hilft seiner Frau heraus, führt sie hinauf in den ersten Stock zu dem großen Zimmer des Malers, vertraut sie ihm mit seiner gewohnten höflichen Redensart an und geht dann fort, um Galuppis Morgenkonzert in der Misericordia zu hören. Die Liebenden haben reichlich zwei Stunden, um ihre letzten Vorbereitungen zu treffen.

Kaum ist der alte Pantalone zuverlässig außer Sicht, taucht des Malers nützlicher Freund auf, mit Maske und Mantel wie jedermann in den Straßen und auf den Kanälen Venedigs im Karneval. Es folgen Umarmungen und

laughter all round; everything has been so marvellously successful, not a suspicion roused. From under Lady Hurtmore's cloak comes the jewel-case. She opens it, and there are loud Italian exclamations of astonishment and admiration. The brilliants, the pearls, the great Hurtmore emeralds, the ruby clasps, the diamond ear-rings – all these bright, glittering things are lovingly examined, knowingly handled. Fifty thousand sequins at the least is the estimate of the useful friend. The two lovers throw themselves ecstatically into one another's arms.

"The useful friend interrupts them; there are still a few last things to be done. They must go and sign for their passports at the Ministry of Police. Oh, a mere formality; but still it has to be done. He will go out at the same time and sell one of the lady's diamonds to provide the necessary funds for the journey."

Mr Bigger paused to light a cigarette. He blew a cloud of smoke, and went on.

"So they set out, all in their masks and capes, the useful friend in one direction, the painter and his mistress in another. Ah, love in Venice!" Mr Bigger turned up his eyes in ecstasy. Have you ever been in Venice and in love, sir?" he inquired of the Lord of the Manor.

"Never farther than Dieppe," said the Lord of the Manor, shaking his head.

"Ah, then you've missed one of life's great experiences. You can never fully and completely understand what must have been the sensations of little Lady Hurtmore and the artist as they glided down the long canals, gazing at one another through the eyeholes of their masks. Sometimes, perhaps, they kissed – though it would have been difficult to do that without unmasking, and there was always the danger that some one might have recognised their

Händeschütteln und Gelächter aller Beteiligten; es hat alles wunderbar geklappt, kein Verdacht ist aufgekommen. Unter Lady Hurtmores Mantel erscheint das Schmuckkästchen. Sie öffnet es, und es ertönen laute italienische Ausrufe des Erstaunens und der Bewunderung. Die Brillanten, die Perlen, die großen Hurtmore-Smaragde, die Rubinschnallen, die Diamantohrringe – alle die leuchtenden, glitzernden Sachen werden liebevoll geprüft und mit Sachkenntnis befühlt. Mindestens fünfzigtausend Zechinen lautet die Schätzung des nützlichen Freundes. Die beiden Liebenden fallen sich überglücklich in die Arme.

Der nützliche Freund unterbricht sie; es sind noch ein paar letzte Angelegenheiten zu erledigen. Sie müssen für ihre Pässe auf der Polizeiverwaltung unterschreiben. Oh, eine bloße Formalität, aber es muss doch geschehen. Er wird während dieser Zeit auch weggehen und einen von den Diamanten der Dame verkaufen, um das nötige Geld für die Reise zu beschaffen.»

Mr Bigger hielt inne, um sich eine Zigarette anzuzünden. Er stieß eine Rauchwolke aus und fuhr fort.

«So zogen sie los, alle in Maske und Überwurf, der nützliche Freund in die eine, der Maler und seine Geliebte in die andere Richtung. Ach, Liebe in Venedig!» Mr Bigger verdrehte seine Augen vor Entzücken. «Waren Sie schon einmal in Venedig und verliebt?» fragte er den Herrn des Landsitzes.

«Ich war nie weiter als bis Dieppe», sagte der Herr des Landsitzes und schüttelte den Kopf.

«Oh, dann haben Sie eine der großen Erfahrungen des Lebens versäumt und können gar nicht voll und ganz nachempfinden, welche Gefühle die kleine Lady Hurtmore und den Künstler bewegt haben müssen, als sie die Kanäle entlangfuhren und einander durch die Augenlöcher ihrer Masken anblickten. Gelegentlich gaben sie sich vielleicht einen Kuss – obwohl es schwierig gewesen sein muss, das ohne Demaskierung zu tun, und dann war auch noch die Gefahr, dass jemand ihre enthüllten Gesichter durch die

naked faces through the windows of their little cabin. No, on the whole," Mr Bigger concluded reflectively, "I expect they confined themselves to looking at one another. But in Venice, drowsing along the canals, one can almost be satisfied with looking – just looking."

He caressed the air with his hand and let his voice droop away into silence. He took two or three puffs at his cigarette without saying anything. When he went on, his voice was very quiet and even.

"About half an hour after they had gone, a gondola drew up at Giangolini's door and a man in a paper mask, wrapped in a black cloak and wearing on his head the inevitable three-cornered hat, got out and went upstairs to the painter's room. It was empty. The portrait smiled sweetly and a little fatuously from the easel. But no painter stood before it and the model's throne was untenanted. The long-nosed mask looked about the room with an expressionless curiosity. The wandering glance came to rest at last on the jewel-case that stood where the lovers had carelessly left it, open on the table. Deep-set and darkly shadowed behind the grotesque mask, the eyes dwelt long and fixedly on this object. Long-nosed Pulcinella seemed to be wrapped in meditation.

"A few minutes later there was the sound of footsteps on the stairs, of two voices laughing together. The masker turned away to look out of the window. Behind him the door opened noisily; drunk with excitement, with gay, laughable irresponsibility, the lovers burst in.

"'Aha, *caro amico*! Back already. What luck with the diamond?'

"The cloaked figure at the window did not stir; Giangolini rattled gaily on. There had been no

Fenster der kleinen Kabine hätte erkennen können. Nein, eigentlich», schloss Mr Bigger nachdenklich, «nehme ich an, dass die beiden sich darauf beschränkten, einander anzuschauen. Aber wenn man in Venedig verträumt durch die Kanäle gleitet, kann man fast schon mit Schauen zufrieden sein – mit dem bloßen Schauen.»

Mr Bigger fuhr liebkosend mit der Hand durch die Luft und ließ seine Stimme langsam zum Schweigen verklingen. Er nahm zwei oder drei Züge aus der Zigarette, ohne etwas zu sagen. Als er fortfuhr, war seine Stimme sehr ruhig und gleichmäßig.

«Ungefähr eine halbe Stunde nach ihrem Weggang fuhr eine Gondel an Giangolinis Tür vor, und ein Mann mit einer Pappmaske, der in einen schwarzen Mantel gehüllt war und auf dem Kopf den unvermeidlichen Dreispitz trug, stieg aus und ging hinauf in das Zimmer des Malers. Es war leer. Das Portrait lächelte lieblich und ein wenig einfältig von der Staffelei. Aber kein Maler stand davor, und der Modellstuhl war unbesetzt. Die langnasige Maske blickte mit ausdrucksloser Neugier im Raum umher. Der schweifende Blick kam schließlich auf dem Schmuckkästchen zum Stillstand, das sich da befand, wo es die Liebenden achtlos stehengelassen hatten: offen auf dem Tisch. Die Augen, tiefliegend und dunkel beschattet hinter der grotesken Maske, verweilten lange und starr auf diesem Gegenstand. Der langnasige Pulcinella schien in Nachdenken versunken.

Wenige Minuten später erklangen Schritte und zweistimmiges Gelächter auf der Treppe. Die Maske wandte sich ab und blickte aus dem Fenster. Hinter ihr öffnete sich geräuschvoll die Tür, und trunken vor Aufregung, vor lustiger, alberner Leichtsinnigkeit, platzten die Liebenden herein.

‹Haha, caro amico! Schon zurück. Wie ging's mit dem Diamanten?›

Die verhüllte Gestalt am Fenster rührte sich nicht; Giangolini plapperte lustig weiter. Es hatte keinerlei Schwierig-

trouble whatever about the signatures, no questions asked ; he had the passports in his pocket. They could start at once.

"Lady Hurtmore suddenly began to laugh uncontrollably; she couldn't stop.

"'What's the matter?' asked Giangolini, laughing too.

"'I was thinking,' she gasped between the paroxysms of her mirth, 'I was thinking of old Pantalone sitting at the Misericordia, solemn as an owl, listening' – she almost choked, and the words came out shrill and forced as though she were speaking through tears – 'listening to old Galuppi's boring old cantatas.'

"The man at the window turned round. 'Unfortunately, madam,' he said, 'the learned maestro was indisposed this morning. There was no concert.' He took off his mask. 'And so I took the liberty of returning earlier than usual.' The long, grey, unsmiling face of Lord Hurtmore confronted them.

"The lovers stared at him for a moment speechlessly. Lady Hurtmore put her hand to her heart; it had given a fearful jump, and she felt a horrible sensation in the pit of her stomach. Poor Giangolini had gone as white as his paper mask. Even in these days of *cicisbei*, of official gentlemen friends, there were cases on record of outraged and jealous husbands resorting to homicide. He was unarmed, but goodness only knew what weapons of destruction were concealed under that enigmatic black cloak. But Lord Hurtmore did nothing brutal or undignified. Gravely and calmly, as he did everything, he walked over to the table, picked up the jewel-case, closed it with the greatest care, and saying, 'My box, I think,' put it in his pocket and walked out of the room. The lovers were left looking questioningly at one another."

keiten mit den Unterschriften gegeben, es waren keine Fragen gestellt worden, er hatte die Pässe in der Tasche. Sie konnten sofort aufbrechen.

Plötzlich begann Lady Hurtmore unbeherrscht zu lachen; sie konnte nicht aufhören.

‹Was ist denn los?› fragte Giangolini ünd lachte ebenfalls.

‹Ich dachte›, keuchte sie zwischen den Krämpfen ihrer Fröhlichkeit, ‹ich dachte gerade an den alten Pantalone, der jetzt in der Misericordia sitzt, feierlich wie eine Eule, und wie er› – sie erstickte beinahe, und die Worte kamen schrill und mühsam heraus, als spräche sie unter Tränen – ‹und wie er die langweiligen alten Kantaten vom alten Galuppi anhört.›

Der Mann am Fenster drehte sich um. ‹Bedauerlicherweise, Madame›, sagte er, ‹war der gelehrte Meister heute morgen indisponiert. Das Konzert ist ausgefallen.› Er nahm seine Maske ab. ‹Deshalb war ich so frei, früher als gewöhnlich zurückzukehren.› Das lange, graue, nie lächelnde Gesicht Lord Hurtmores war vor ihnen.

Die Liebenden starrten ihn einen Augenblick lang sprachlos an. Lady Hurtmore legte die Hand auf ihr Herz; es hatte einen schrecklichen Sprung getan, und in der Magengrube hatte sie ein entsetzliches Gefühl. Der arme Giangolini war weiß geworden wie seine Pappmaske. Selbst in jenen Tagen der Cicisbei, der offiziellen Hausfreunde berichtete man Fälle von beleidigten und eifersüchtigen Ehemännern, die zu Totschlag geführt hatten. Er war unbewaffnet, und der Himmel mochte wissen, welche Mordwaffen unter dem geheimnisvollen schwarzen Mantel verborgen waren. Aber Lord Hurtmore tat nichts Unbesonnenes oder Unwürdiges. Ernst und ruhig, wie er alles tat, ging er zum Tisch, nahm das Schmuckkästchen, schloss es mit größter Sorgfalt, und indem er sagte ‹Das ist wohl mein Kasten› steckte er es in die Tasche und verließ den Raum. Die Liebenden blieben allein und blickten einander fragend an.»

There was a silence.

"What happened then?" asked the Lord of the Manor.

"The anti-climax," Mr Bigger replied, shaking his head mournfully. "Giangolini had bargained to elope with fifty thousand sequins. Lady Hurtmore didn't, on reflection, much relish the idea of love in a cottage. Woman's place, she decided at last, is in the home – with the family jewels. But would Lord Hurtmore see the matter in precisely the same light? That was the question, the alarming, disquieting question. She decided to go and see for herself.

"She got back just in time for dinner. 'His Illustrissimous Excellency is waiting in the dining-room,' said the major-domo. The tall doors were flung open before her; she swam in majestically, chin held high – but with what a terror in her soul! Her husband was standing by the fireplace. He advanced to meet her.

"'I was expecting you, madam,' he said, and led her to her place.

"That was the only reference he ever made to the incident. In the afternoon he sent a servant to fetch the portrait from the painter's studio. It formed part of their baggage when, a month later, they set out for England. The story has been passed down with the picture from one generation to the next. I had it from an old friend of the family when I bought the portrait last year."

Mr Bigger threw his cigarette end into the grate. He flattered himself that he had told that tale very well.

"Very interesting," said the Lord of the Manor, "very interesting indeed. Quite historical, isn't it? One could hardly do better with Nell Gwynn or Anne Boleyn, could one?"

Eine Pause trat ein.

«Und was kam dann?» fragte schließlich der Herr des Landsitzes.

«Die Ernüchterung», entgegnete Mr Bigger, indem er traurig den Kopf schüttelte. «Giangolini hatte darauf gerechnet, mit fünfzigtausend Zechinen durchzugehen. Und Lady Hurtmore fand bei näherer Betrachtung an der Vorstellung von der Liebe in einer Hütte wenig Geschmack. Der Platz der Frau, so entschied sie schließlich, ist daheim – beim Familienschmuck. Aber würde Lord Hurtmore die Angelegenheit im gleichen Lichte sehen? Das war die Frage, die beunruhigende, die verwirrende Frage. Sie beschloss, hinzugehen und sich selbst zu überzeugen.

Sie kam gerade rechtzeitig zum Mittagessen zurück. ‹Seine Durchlauchtigste Exzellenz warten bereits im Speisezimmer›, sagte der Haushofmeister. Die hohen Türen wurden vor ihr aufgerissen; majestätisch rauschte sie hinein, mit hocherhobenem Kinn – aber mit welch einer Furcht im Herzen! Ihr Gatte stand am Kamin. Er ging ihr entgegen.

‹Ich habe Euch erwartet, Madam›, sagte er und führte sie an ihren Platz.

Das war die einzige Anspielung, die er jemals auf den Zwischenfall machte. Am Nachmittag schickte er einen Diener, um das Portrait aus dem Atelier des Malers holen zu lassen. Es war in ihrem Gepäck, als sie einen Monat später nach England abreisten. Die Geschichte ist mit dem Gemälde von einer Generation auf die andere gekommen. Ich hörte sie von einem alten Freund der Familie, als ich das Portrait im vergangenen Jahr kaufte.»

Mr Bigger warf den Zigarettenstummel in den Kaminrost. Er schmeichelte sich, die Geschichte sehr gut vorgetragen zu haben.

«Sehr interessant», sagte der Herr des Landsitzes, «wirklich sehr interessant. Ziemlich historisch, nicht wahr? Mit Nell Gwynn oder Anne Boleyn könnte man wohl kaum besser fahren, oder?»

Mr Bigger smiled vaguely, distantly. He was thinking of Venice – the Russian countess staying in his pension, the tufted tree in the courtyard outside his bedroom, that strong, hot scent she used (it made you catch your breath when you first smelt it), and there was the bathing on the Lido, and the gondola, and the dome of the Salute against the hazy sky, looking just as it looked when Guardi painted it. How enormously long ago and far away it all seemed now! He was hardly more than a boy then; it had been his first great adventure. He woke up with a start from his reverie.

The Lord of the Manor was speaking. "How much, now, would you want for that picture?" he asked. His tone was detached, off-hand; he was a rare one for bargaining.

"Well," said Mr Bigger, quitting with reluctance the Russian countess, the paradisiacal Venice of five-and-twenty years ago, "I've asked as much as a thousand for less important works than this. But I don't mind letting this go to you for seven-fifty."

The Lord of the Manor whistled.

"Seven-fifty?" he repeated. "It's too much."

"But, my dear sir," Mr Bigger protested, "think what you'd have to pay for a Rembrandt of this size and quality – twenty thousand at least. Seven-hundred and fifty isn't at all too much. On the contrary, it's very little considering the importance of the picture you're getting. You have a good enough judgment to see that this is a very fine work of art."

"Oh, I'm not denying that," said the Lord of the Manor. "All I say is that seven-fifty's a lot of money. Whe-ew! I'm glad my daughter does sketching. Think if I'd had to furnish the bedrooms with pictures at seven-fifty a time!" He laughed.

Mr Bigger smiled. "You must also remember,"

Mr Bigger lächelte unbestimmt, abwesend. Er dachte an Venedig – an die russische Gräfin in seiner Pension, an den buschigen Baum im Hof vor seinem Schlafzimmer, an das starke, aufregende Parfüm, das sie benutzte (es ließ einem den Atem stocken, wenn man es zum ersten Mal roch). Und dann das Baden am Lido, und die Gondel, und die Kuppel von Santa Maria della Salute gegen den dunstigen Himmel, genau wie einst, als Guardi sie gemalt hatte. Wie unerhört lang her und weit weg schien das jetzt alles! Er war damals noch fast ein Knabe gewesen; es hatte sein erstes Abenteuer bedeutet. Mit einem Ruck wachte er aus seiner Träumerei auf.

Der Herr des Landsitzes sprach schon weiter. «Wieviel würden Sie denn nun für das Bild verlangen?» fragte er. Seine Stimme klang sachlich und ungezwungen; er war ein ungewöhnlich geschickter Händler.

«Nun», sagte Mr Bigger und verließ widerwillig die russische Gräfin und das paradiesische Venedig von vor fünfundzwanzig Jahren, «ich habe schon für weniger bedeutende Werke als dieses tausend verlangt. Aber ich wäre bereit, es Ihnen für siebenfünf zu überlassen.»

Der Herr des Landsitzes pfiff. «Siebenfünf?» wiederholte er. «Das ist zu viel.»

«Aber, mein lieber Herr», wandte Mr Bigger ein, «bedenken Sie, was Sie für einen Rembrandt von dieser Größe und Qualität ausgeben müssten – zwanzigtausend mindestens. Siebenhundertundfünfzig ist durchaus nicht zu viel. Im Gegenteil, es ist wenig, wenn Sie die Bedeutung des Gemäldes bedenken, das Sie bekommen. Ihr Urteil ist gut genug, um Sie erkennen zu lassen, dass es ein besonders schönes Kunstwerk ist.»

«Oh, das bestreite ich nicht», sagte der Herr des Landsitzes. «Ich sage nur, dass siebenfünf eine Menge Geld ist. Auweh, ich bin froh, dass meine Tochter ein bisschen zeichnet. Wenn ich mir vorstelle, ich müsste die Schlafzimmer mit Bildern zu siebenfünf je Stück einrichten!» Er lachte.

Mr Bigger lächelte. «Sie müssen auch bedenken», sagte

he said, "that you're making a very good investment. Late Venetians are going up. If I had any capital to spare –" The door opened and Miss Pratt's blonde and frizzy head popped in.

"Mr Crowley wants to know if he can see you, Mr Bigger."

Mr Bigger frowned. "Tell him to wait," he said irritably. He coughed and turned back to the Lord of the Manor. "If I had any capital to spare, I'd put it all into late Venetians. Every penny."

He wondered, as he said the words, how often he had told people that he'd put all his capital, if he had any, into primitives, cubism, nigger sculpture, Japanese prints...

In the end the Lord of the Manor wrote him a cheque for six hundred and eighty.

"You might let me have a typewritten copy of the story," he said, as he put on his hat. "It would be a good tale to tell one's guests at dinner, don't you think? I'd like to have the details quite correct."

"Oh, of course, of course," said Mr Bigger, the details are most important."

He ushered the little round man to the door. "Good, morning. Good morning." He was gone.

A tall, pale youth with side whiskers appeared in the doorway. His eyes were dark and melancholy; his expression, his general appearance, were romantic and at the same time a little pitiable. It was young Crowley, the painter.

"Sorry to have kept you waiting," said Mr Bigger. "What did you want to see me for?"

Mr Crowley looked embarrassed, he hesitated. How he hated having to do this sort of thing! "The fact is," he said at last, "I'm horribly short of money. I wondered if perhaps you wouldn't mind if it would be convenient to you to pay me for that

er, «dass Sie eine gute Investition machen. Späte Venezianer sind im Steigen. Wenn ich irgendwelches flüssiges Kapital hätte...» Die Tür ging auf und Miss Pratts blonder Lockenkopf tauchte auf.

«Mr Crowley fragt, ob er Sie sprechen kann, Mr Bigger.» Mr Bigger runzelte die Stirn. «Er soll warten», sagte er gereizt. Er hüstelte und wandte sich wieder dem Herrn des Landsitzes zu: «Wenn ich flüssiges Kapital hätte, würde ich alles in späten Venezianern anlegen. Jeden Penny.»

Während er diese Worte sprach, bedachte er bei sich, wie oft er wohl den Leuten schon gesagt hatte, dass er sein ganzes Kapital, wenn er welches hätte, in frühe Kubisten, Negerskulpturen oder japanische Holzschnitte stecken würde...

Letzten Endes schrieb ihm der Herr des Landsitzes einen Scheck über sechshundertachtzig aus.

«Sie könnten mir eine getippte Abschrift der Geschichte schicken», sagte er, als er den Hut aufsetzte. «Das wäre was Nettes, das man den Gästen bei Tisch erzählen könnte, meinen Sie nicht auch? Ich würde die Einzelheiten gerne ganz genau haben.»

«Oh, selbstverständlich, selbstverständlich», sagte Mr Bigger, «die Einzelheiten sind sehr wichtig.»

Er führte den kleinen rundlichen Mann zur Tür. «Guten Morgen. Guten Morgen.» Weg war er.

Ein großer, bleicher Jüngling mit Koteletten erschien im Eingang. Seine Augen waren dunkel und melancholisch, sein Gesichtsausdruck und seine ganze Erscheinung romantisch und zugleich ein wenig erbärmlich. Es war der junge Crowley, der Maler.

«Tut mir leid, dass ich Sie warten ließ», sagte Mr Bigger. «Was führt Sie zu mir?»

Mr Crowley schien verwirrt, er zögerte. Wie hasste er es, so etwas tun zu müssen! «Die Sache ist die», sagte er schließlich, «ich bin furchtbar knapp mit Geld. Ich habe gedacht, vielleicht würde es Ihnen nichts ausmachen... würde es Ihnen recht sein... mir das Geld für das Ding

thing I did for you the other day. I'm awfully sorry to bother you like this."

"Not at all, my dear fellow." Mr Bigger felt sorry for this wretched creature who didn't know how to look after himself. Poor young Crowley was as helpless as a baby. "How much did we settle it was to be?"

"Twenty pounds, I think it was," said Mr Crowley timidly.

Mr Bigger took out his pocket-book. "We'll make it twenty-five," he said.

"Oh no, really, I couldn't. Thanks very much." Mr Crowley blushed like a girl. "I suppose you wouldn't like to have a show of some of my landscapes, would you?" he asked, emboldened by Mr Bigger's air of benevolence.

"No, no. Nothing of your own." Mr Bigger shook his head inexorably.

"There's no money in modern stuff. But I'll take any number of those sham Old Masters of yours." He drummed with his fingers on Lady Hurtmore's sleekly painted shoulder. "Try another Venetian," he added. "This one was a great success."

zu geben, das ich neulich für Sie gemacht habe. Es tut mir schrecklich leid, Sie so zu belästigen.»

«Aber gar nicht, lieber Freund.» Mr Bigger hatte Mitleid mit diesem elenden Geschöpf, das nicht imstande war, für sich selbst zu sorgen. Der arme junge Crowley war hilflos wie ein Kind. «Auf wieviel hatten wir uns denn geeinigt?»

«Zwanzig Pfund waren es, glaube ich», sagte Mr Crowley schüchtern.

Mr Bigger zog seine Brieftasche hervor. «Na, sagen wir fünfundzwanzig», erklärte er.

«Oh nein, wirklich, das kann ich nicht annehmen. Vielen Dank.» Mr Crowley errötete wie ein Mädchen. «Sie wollen nicht zufällig ein paar von meinen Landschaften ansehen?» fragte er, mutig gemacht durch Mr Biggers wohlwollende Art.

«Nein, nein. Nichts von Ihren eigenen Sachen.» Mr Bigger schüttelte unerbittlich den Kopf.

«In dem modernen Kram steckt kein Geld. Aber ich nehme jede Menge von Ihren falschen alten Meistern da.» Er trommelte mit den Fingern auf Lady Hurtmores glatt gemalte Schulter. «Versuchen Sie es nochmal mit einem Venezianer», setzte er hinzu. «Der hier war ein großer Erfolg.»

D. H. Lawrence: Tickets, please!

There is in the Midlands a single-line tramway system which boldly leaves the county town and plunges off into the black, industrial country-side, up hill and down dale, through the long ugly villages of workmen's houses, over canals and railways, past churches perched high and nobly over the smoke and shadows, through stark, grimy cold little market-places, tilting away in a rush past cinemas and shops down to the hollow where the collieries are, then up again, past a little rural church, under the ash trees, on in a rush to the terminus, the last little ugly place of industry, the cold little town that shivers on the edge of the wild, gloomy country beyond. There the green and creamy coloured tram-cars seems to pause and purr with curious satisfaction. But in a few minutes the clock on the turret of the Co-operative Wholesale Society's shops gives the time – away it starts once more on the adven- ture. Again there are the reckless swoops downhill, bouncing the loops: again the chilly wait in the hill-top market-place: again the breathless slithering round the precipitous drop under the church: again the patient halts at the loops, waiting for the outcoming car: so on and on, for two long hours, till at last the city looms beyond the fat gas-works, the narrow factories draw near, we are in the sordid streets of the great town, once more we sidle to a standstill at our terminus, abashed by the great crimson and cream-coloured city cars, but still perky, jaunty, somewhat dare-devil, green as a jaunty sprig of parsley out of a black colliery garden.

To ride on these cars is always an adventure. Since we are in war-time, the drivers are men unfit for active service: cripples and hunchbacks. So they have

D. H. Lawrence: Fahrscheine, bitte!

In den Midlands gibt es eine einspurige Straßenbahnlinie,
die sich kühn aus der Kreisstadt hinauswagt und in das um-
liegende schwarze Kohlerevier davoneilt, bergauf, bergab,
durch die hässlichen Straßendörfer mit ihren Arbeiterhäus-
chen, über Kanäle und Eisenbahngleise, vorbei an Kirchen,
die erhaben über dem Rauch und den Schatten thronen,
durch karge, schmutzige, kalte Marktplätze, hastig vor-
überschwankend an Kinos und Läden, hinunter in die
Senke, wo sich die Zechen befinden, dann wieder hinauf,
vorbei an einer kleinen Dorfkirche unter Eschen und
schnell weiter zur Endstation, dem letzten der hässlichen
Industrieorte, dem kalten Städtchen, das zitternd am Rande
der düsteren ländlichen Wildnis steht. Dort bleibt die grün
und cremefarben gestrichene Trambahn stehen, und es
scheint, als schnurrte sie seltsam zufrieden. Aber schon
nach wenigen Minuten – das Uhrtürmchen über den Läden
der Kooperativen Handelsgesellschaft gibt die Zeit an –
macht sie sich wieder auf ihre abenteuerliche Reise. Wieder
sind da die waghalsigen Talfahrten, das Holpern in den
Kurven; wieder der Aufenthalt droben auf dem eisigen
Marktplatz; wieder das atemberaubende Schlittern um den
steilen Abhang unterhalb der Kirche; wieder das geduldige
Anhalten an den Ausweichstellen, um die Gegenbahn abzu-
warten; und so immer weiter, zwei volle Stunden lang, bis
schließlich die Stadt hinter dem plumpen Gaswerk auftaucht, die schmalen Fabriken sich nähern und wir in den
schäbigen Straßen der großen Stadt sind. Wieder kommen
wir langsam an der Endstation zum Stehen, eingeschüch-
tert von den rot-und-cremefarbenen Stadtstraßenbahnen,
aber gleichzeitig keck, frech, ein bisschen übermütig, grün
wie ein frecher Zweig Petersilie aus einem schwarzen Berg-
mannsgarten.
    Eine Fahrt mit diesen Straßenbahnen ist immer ein
Abenteuer. Da Krieg ist, sind die Fahrer Männer, die für
den Kriegsdienst nicht taugen: Krüppel und Bucklige. Die

the spirit of the devil in them. The ride becomes a steeplechase. Hurray! we have leapt in a clear jump over the canal bridge – now for the four-lane corner. With a shriek and a trail of sparks we are clear again. To be sure, a tram often leaps the rails – but what matter! It sits in a ditch till other trams come to haul it out. It is quite common for a car, packed with one solid mass of living people, to come to a dead halt in the midst of unbroken blackness, the heart of nowhere on a dark night, and for the driver and the girl conductor to call: "All get off – car's on fire!" Instead, however, of rushing out in a panic, the passengers stolidly reply: "Get on – get on! We're not coming out. We're stopping where we are. Push on, George." So till flames actually appear.

The reason for this reluctance to dismount is that the nights are howlingly cold, black, and windswept, and a car is a haven of refuge. From village to village the miners travel, for a change of cinema, of girl, of pub. The trams are desperately packed. Who is going to risk himself in the black gulf outside, to wait perhaps an hour for another tram, then to see the forlorn notice "Depot Only", because there is something wrong! Or to greet a unit of three bright cars all so tight with people that they sail past with a howl of derision. Trams that pass in the night.

This, the most dangerous tram-service in England, as the authorities themselves declare, with pride, is entirely conducted by girls, and driven by rash young men, a little crippled, or by delicate young men, who creep forward in terror. The girls are fearless young hussies. In their ugly blue uniform, skirts up to their knees, shapeless old peaked caps on their heads, they have all the *sang-froid* of an old non-commissioned officer. With a

haben darum den Teufel im Leib. Die Fahrt wird zum Hindernisrennen. Hurra, wir haben mit einem großen Satz die Kanalbrücke übersprungen! Jetzt geht's in die enge Kurve. Mit Quietschen und stiebenden Funken sind wir auch da hindurch. Gewiss, so eine Tram springt oft aus den Schienen, aber was macht's. Dann wartet sie im Graben, bis andere Bahnen kommen und sie wieder herausziehen. Es kommt oft vor, dass eine Bahn, randvoll gepackt mit Menschen, in dunkler Nacht plötzlich stehenbleibt – mitten in völliger Finsternis, auf freier Strecke, und dass der Fahrer und die Schaffnerin rufen: «Alles aussteigen, der Wagen brennt!» Aber anstatt in Panik hinauszustürzen, erwidern die Fahrgäste seelenruhig: «Weiterfahren, weiterfahren! Wir steigen nicht aus. Wir bleiben, wo wir sind. Fahr weiter, George.» Und so fort, bis wirklich Flammen zu sehen sind.

Der Grund, warum niemand aussteigen will, ist der, dass die tosenden Nächte kalt, stockfinster und stürmisch sind und so ein Straßenbahnwagen Geborgenheit gibt. Die Kumpel sind auf dem Weg ins nächste Dorf auf der Suche nach einem anderen Kino, einem anderen Mädchen, einer anderen Kneipe. Die Bahnen sind völlig überfüllt. Wer will sich da hinauswagen in die schwarze Leere und vielleicht eine Stunde auf die nächste Tram warten, nur um dann, wenn es irgendwo eine Panne gegeben hat, das traurige Schild «Nur zum Depot» lesen zu müssen; oder freudig eine Bahn mit drei hell erleuchteten Wagen kommen zu sehen, die aber so voll sind, dass sie mit höhnischem Gebrüll an ihm vorbeifahren. Bahnen, die rasch vorüberziehn...

Auf dieser Straßenbahnlinie – der gefährlichsten in ganz England, wie sogar die Behörden stolz feststellen – sind die Schaffner lauter junge Mädchen, und die Fahrer sind entweder tollkühne, leicht behinderte junge Männer oder schwächliche junge Männer, die ängstlich dahinschleichen. Die Mädchen sind unerschrockene junge Dinger. Mit ihrer hässlichen Uniform, dem nur knielangen Rock und der zerknautschen alten Schirmmütze auf dem Kopf nehmen sie es an Kaltblütigkeit mit jedem alten Unteroffizier auf. Eine

tram packed with howling colliers, roaring hymns downstairs and a sort of antiphony of obscenities upstairs, the lasses are perfectly at their ease. They pounce on the youths who try to evade their ticket-machine. They push off the men at the end of their distance. They are not going to be done in the eye – not they. They fear nobody – and everybody fears them.

"Hello, Annie!"

"Hello, Ted!"

"Oh, mind my corn, Miss Stone. It's my belief you've got a heart of stone, for you've trod on it again."

"You should keep it in your pocket," replies Miss Stone, and she goes sturdily upstairs in her high boots.

"Tickets, please!"

She is peremptory, suspicious, and ready to hit first. She can hold her own against ten thousand. The step of that tram-car is her Thermopylæ.

Therefore, there is a certain wild romance aboard these cars – and in the sturdy bosom of Annie herself. The time for soft romance is in the morning, between ten o'clock and one, when things are rather slack: that is, except market-day and Saturday. Thus Annie has time to look about her. Then she often hops off her car and into a shop where she has spied something, while the driver chats in the main road. There is very good feeling between the girls and the drivers. Are they not companions in peril, shipments aboard this careering vessel of a tram-car, for ever rocking on the waves of a stormy land.

Then, also, during the easy hours, the inspectors are most in evidence. For some reason, everybody employed in this tram-service is young: there are no grey heads. It would not do. Therefore the inspectors are of the right age, and one, the chief, is

Bahn voll johlender Kumpel, die unten im Wagen Kirchen-
lieder und auf dem Oberdeck in einer Art Wechselgesang
dazu Obszönitäten grölen, kann diese Mädels nicht aus der
Ruhe bringen. Sie nehmen sich die Jungen vor, die sich
ihrer Fahrkartenmaschine entziehen wollen. Wer das Ende
seiner Strecke erreicht hat, den schubsen sie hinaus. Sie
lassen sich nicht beschummeln – sie nicht! Sie fürchten
sich vor keinem, und alle fürchten sie.

«Tag, Annie!»

«Tag, Ted!»

«Au, mein Hühnerauge, Miss Stone! Ich glaube, Sie
haben ein Herz aus Stein, denn Sie sind schon wieder drauf-
getreten.»

«Sie sollten's lieber in die Tasche stecken», erwidert Miss
Stone, und dann geht sie mit ihren derben Stiefeln hinauf
aufs obere Deck.

«Fahrscheine, bitte!»

Sie ist kurz angebunden, misstrauisch und angriffslustig.
Sie könnte sich gegen zehntausend behaupten. Die Tritt-
bretter dieser Trambahn sind ihre Thermopylen.

Daher herrscht in diesen Bahnen eine gewisse wilde Ro-
mantik – wie auch im kräftigen Busen von Annie selbst.
Der Vormittag ist die Zeit für zarte Romanzen, so zwischen
zehn und ein Uhr, wenn alles ziemlich ruhig ist – außer
natürlich an Markttagen und samstags. Da hat Annie Zeit,
sich umzusehen. Da springt sie oft von ihrem Wagen und
läuft in ein Geschäft, in dem sie etwas entdeckt hat, und der
Fahrer plaudert währenddessen auf der Hauptstraße. Die
Mädchen und die Fahrer verstehen sich prächtig. Schließlich sind sie ja Kameraden auf gefährlicher See, Stückgut
an Bord dieser rasenden Trambahnen, die auf den Boden-
wellen eines sturmumtosten Landes dahinschlingern.

Dann, während der ruhigen Stunden, zeigen sich oft auch
die Inspektoren. Aus irgendeinem Grund sind alle, die auf
dieser Strecke arbeiten, jung: graue Häupter gibt es nicht.
Es wäre unpassend. Darum haben alle Inspektoren das
richtige Alter, und einer, ihr Vorgesetzter, sieht sogar gut

also good-looking. See him stand on a wet, gloomy morning in his long oilskin, his peaked cap well down over his eyes, waiting to board a car. His face ruddy, his small brown moustache is weathered, he has a faint impudent smile. Fairly tall and agile, even in his waterproof, he springs aboard a car and greets Annie.

"Hello, Annie! Keeping the wet out?"

"Trying to."

There are only two people in the car. Inspecting is soon over. Then for a long and impudent chat on the foot-board, a good, easy, twelve-mile chat.

The inspector's name is John Thomas Raynor – always called John Thomas, except sometimes, in malice, Coddy. His face sets in fury when he is addressed, from a distance, with this abbreviation. There is considerable scandal about John Thomas in half a dozen villages. He flirts with the girl conductors in the morning, and walks out with them in the dark night, when they leave their tram-car at the depôt. Of course, the girls quit the service frequently. Then he flirts and walks out with the newcomer: always providing she is sufficiently attractive, and that she will consent to walk. It is remarkable, however, that most of the girls are quite comely, they are all young and this roving life aboard the car gives them a sailor's dash and recklessness. What matter how they behave when the ship is in port? To-morrow they will be aboard again.

Annie, however, was something of a Tartar, and her sharp tongue had kept John Thomas at arm's length for many months. Perhaps, therefore, she liked him all the more: for he always came up smiling, with impudence. She watched him vanquish one girl, then another. She could tell by the movement of his mouth and eyes, when he flirted with her in the morning, that he had been walking out

aus. Da steht er an einem nassen, düsteren Morgen mit seinem langen Ölmantel, die Schirmmütze tief über die Augen gezogen, und wartet, dass eine Bahn kommt. Sein Gesicht ist gerötet, der kleine braune Schnurrbart ist leicht verwittert, und sein leises Lächeln wirkt anzüglich. Groß- gewachsen und selbst in seinem Regenmantel ziemlich be- hende, springt er auf einen Wagen auf und begrüßt Annie.

«Tag, Annie! Na, schön trocken bei dir?»

«Ich geb mir Mühe.»

Es sitzen nur zwei Fahrgäste im Wagen. Die Kontrolle ist schnell beendet. Und dann auf der Plattform eine lange Unterhaltung voller Anzüglichkeiten, eine nette, unge- zwungene Zwölf-Meilen-Unterhaltung.

Der Name dieses Inspektors ist John Thomas Raynor – alle nennen ihn John Thomas und manchmal, um ihn zu ärgern, Coddy. Sein Gesicht wird starr vor Wut, wenn ihm jemand aus der Ferne diesen Spitznamen zuruft. In einem halben Dutzend Dörfern erzählt man sich allerhand Schlimmes über diesen John Thomas. Vormittags schäkert er mit den jungen Schaffnerinnen, und am Abend, wenn es dunkel ist und sie ihre Tram am Depot verlassen haben, kommt er ihnen näher. Natürlich geben viele Mädchen den Dienst wieder auf. Dann schäkert er mit der Nachfol- gerin und kommt ihr näher, vorausgesetzt, sie ist einiger- maßen hübsch und lässt einen an sich heran. Es ist be- merkenswert, dass die meisten dieser Mädchen recht gut aussehen; alle sind jung, und das unstete Leben an Bord der Tram gibt ihnen die Keckheit und Sorglosigkeit von Matrosen. Wen kümmerts, was die tun, wenn das Schiff im Hafen liegt? Morgen sind sie wieder an Bord.

Annie war allerdings eine rechte Kratzbürste mit einer scharfen Zunge, und das hatte John Thomas viele Monate auf Distanz gehalten. Vielleicht mochte sie ihn deswegen besonders, denn immer kam er zu ihr und lächelte anzüg- lich. Sie sah zu, wie er erst das eine Mädchen eroberte und dann ein anderes. Sie konnte es von seinen Lippen und Augen ablesen, wenn er morgens mit ihr schäkerte, dass

with this lass, or the other, the night before. A
fine cock-of-the-walk he was. She could sum him
up pretty well.

In this subtle antagonism they knew each other
like old friends, they were as shrewd with one another almost as man and wife. But Annie had always kept him sufficiently at arm's length. Besides,
she had a boy of her own.

The Statutes fair, however, came in November,
at Bestwood. It happened that Annie had the Mon-
day night off. It was a drizzling ugly night, yet
she dressed herself up and went to the fair-ground.
She was alone, but she expected soon to find a pal
of some sort.

The roundabouts were veering round and grind-
ing out their music, the side-shows were making
as much commotion as possible. In the coconut
shies there were no coconuts, but artificial war-
time substitutes, which the lads declared were fas-
tened into the irons. There was a sad decline in
brilliance and luxury. None the less, the ground
was muddy as ever, there was the same crush, the
press of faces lighted up by the flares and the
electric lights, the same smell of naphtha and a
few potatoes, and of electricity.

Who should be the first to greet Miss Annie on
the showground but John Thomas. He had a black
overcoat buttoned up to his chin, and a tweed cap
pulled down over his brows, his face between was
ruddy and smiling and handy as ever. She knew
so well the way his mouth moved.

She was very glad to have a 'boy'. To be at the
Statutes without a fellow was no fun. Instantly,
like the gallant he was, he took her on the Dragons, grim-toothed, roundabout switchbacks. It was
not nearly so exciting as a tram-car actually. But,
then, to be seated in a shaking, green dragon, up-

er am Abend zuvor diesem oder jenem Mädchen näher-
gekommen war. Er war ein richtig eitler Pfau. Sie wusste
genau, was er für einer war.

Durch diese milde Feindseligkeit kannten sie einander
wie zwei alte Kameraden, sie durchschauten einander
fast wie Eheleute. Aber Annie hatte ihn immer gut auf
Distanz gehalten. Und davon abgesehen: Sie hatte ja selber einen Freund.

Aber im November war Jahrmarkt in Bestwood. Zufällig hatte Annie am Montag abend frei. Es war ein verreg-
neter, scheußlicher Abend, trotzdem machte sie sich
hübsch und ging auf den Festplatz. Sie war allein, nahm
aber an, bald jemanden zu treffen, den sie kannte.

Die Karussells drehten sich und ließen ihre Leierkasten-
musik ertönen, die Schaubuden sorgten für denkbar viel
Trubel. An den Wurfbuden waren die Kokosnüsse, weil ja
Krieg war, durch Imitationen ersetzt worden, von denen
die Jungs behaupteten, man habe sie an den Eisenstangen
festgebunden. Es war traurig, wie Glanz und Pracht nachgelassen hatten. Gleichwohl war der Boden so aufgeweicht
wie eh und je, es herrschte das übliche Gewühl, das Ge-
dränge von Gesichtern, die von Fackeln und Glühbirnen
erleuchtet wurden, der übliche Geruch von Naphta und
ein paar Kartoffeln und Elektrizität.

Der erste, der Miss Annie auf dem Festplatz begrüßte,
war kein anderer als John Thomas. Er hatte seinen schwarzen Überzieher bis zum Kinn zugeknöpft und eine Tweed-
mütze in die Stirn gezogen, und sein lächelndes Gesicht
dazwischen war so gerötet und hübsch wie immer. Wie
gut kannte sie die Bewegungen seines Mundes.

Sie war sehr froh, einen «Begleiter» zu haben. Ohne
einen Burschen auf den Jahrmarkt zu gehen, machte keinen Spaß. Da er ein Kavalier war, führte er sie gleich zur
Drachenbahn, einer Achterbahn mit zähnefletschenden
Wagen. So ein Wagen war in Wirklichkeit viel weniger
aufregend als ein Trambahnwagen. Aber in so einem
schwankenden grünen Drachen zu sitzen, hoch über das

lifted above the sea of bubble faces, careering in a rickety fashion in the lower heavens, whilst John Thomas leaned over her, his cigarette in his mouth, was after all the right style. She was a plump, quick, alive little creature. So she was quite excited and happy.

John Thomas made her stay on for the next round. And therefore she could hardly for shame repulse him when he put his arm round her and drew her a little nearer to him, in a very warm and cuddly manner. Besides, he was fairly discreet, he kept his movement as hidden as possible. She looked down, and saw that his red, clean hand was out of sight of the crowd. And they knew each other so well. So they warmed up to the fair.

After the dragons they went on the horses. John Thomas paid each time, so she could but be complaisant. He, of course, sat astride on the outer horse – named 'Black Bess' – and she sat sideways, towards him, on the inner horse – named 'Wildfire'. But of course John Thomas was not going to sit discreetly on 'Black Bess', holding the brass bar. Round they spun and heaved, in the light. And round he swung on his wooden steed, flinging one leg across her mount, and perilously tipping up and down, across the space, half lying back, laughing at her. He was perfectly happy; she was afraid her hat was on one side, but she was excited.

He threw quoits on a table, and won for her two large, pale blue hat-pins. And then, hearing the noise of the cinemas, announcing another performance, they climbed the boards and went in.

Of course, during these performances pitch darkness falls from time to time, when the machine goes wrong. Then there is a wild whooping, and a loud smacking of simulated kisses. In these moments John Thomas drew Annie towards him.

schäumende Meer von Gesichtern hinausgehoben zu werden
und bis fast in den Himmel hinaufzufliegen, während sich
John Thomas, eine Zigarette im Mundwinkel, über sie
beugte – das hatte doch Stil. Sie war eine stämmige, flinke,
lebendige kleine Person, und darum war sie ganz erregt und
glücklich.

John Thomas lud sie zu einer zweiten Fahrt ein. Da konnte sie ihn natürlich nicht schamhaft zurückweisen, als er
seinen Arm um sie legte und sie auf sehr warme, schmieg-
same Art ein bisschen fester an sich drückte. Außerdem war
er dabei ziemlich diskret, so dass man möglichst nicht sehen
sollte, was er tat. Sie überzeugte sich, dass seine rote, frisch
gewaschene Hand für die Menge unten unsichtbar war. Und
sie kannten einander ja so gut. Der Jahrmarkt machte ihnen
darum immer mehr Spaß.

Nach den Drachen gingen sie zum Pferdekarussell. John
Thomas bezahlte jedesmal, so dass sie nicht umhin konnte,
nachgiebig zu sein. Er saß natürlich auf dem äußeren Pferd,
das «Black Bess» hieß, und sie saß seitwärts, ihm zuge-
wandt, auf dem inneren Pferd, das «Wildfire» hieß. Aber
natürlich dachte John Thomas nicht daran, brav auf «Black
Bess» sitzen zu bleiben und sich an der Messingstange fest-
zuhalten. Immer im Kreis hoben und senkten sie sich im
Licht. Bis er sich auf seinem hölzernen Ross umdrehte, ein
Bein über ihr Pferd schwang und dann in dem Zwischen-
raum gefährlich auf und ab wippte und ihr weit zurückge-
lehnt zulachte. Er war vollkommen glücklich; sie fürchtete,
ihr Hut könnte schief sitzen, aber sie war erregt.

An einem Tisch warf er Ringe und gewann zwei lange
hellblaue Hutnadeln für sie. Und als sie dann vom Kino her
Lärm und die Ankündigung einer neuen Vorstellung hörten,
stiegen sie auf die Plattform und gingen hinein.

Während solcher Vorführungen kommt es natürlich von
Zeit zu Zeit vor, dass der Filmapparat ausfällt und es stockfinster wird. Dann gibt es jedesmal ein wildes Gejohle und
ein Schmatzen wie von Küssen. In solchen Augenblicken
drückte John Thomas Annie an sich. Er hatte ja wirklich

After all, he had a wonderfully warm, cosy way of holding a girl with his arm, he seemed to make such a nice fit. And, after all, it was pleasant to be so held: so very comforting and cosy and nice. He leaned over her and she felt his breath on her hair; she knew he wanted to kiss her on the lips. And, after all, he was so warm and she fitted in to him so softly. After all, she wanted him to touch her lips.

But the light sprang up; she also started electrically, and put her hat straight. He left his arm lying nonchalantly behind her. Well, it was fun, it was exciting to be at the Statutes with John Thomas.

When the cinema was over they went for a walk across the dark, damp fields. He had all the arts of love-making. He was especially good at holding a girl, when he sat with her on a stile in the black, drizzling darkness. He seemed to be holding her in space, against his own warmth and gratification. And his kisses were soft and slow and searching.

So Annie walked out with John Thomas, though she kept her own boy dangling in the distance. Some of the tram-girls chose to be huffy. But there, you must take things as you find them, in this life.

There was no mistake about it, Annie liked John Thomas a good deal. She felt so rich and warm in herself whenever he was near. And John Thomas really liked Annie, more than usual. The soft, melting way in which she could flow into a fellow, as if she melted into his very bones, was something rare and good. He fully appreciated this.

But with a developing acquaintance there began a developing intimacy. Annie wanted to consider him a person, a man: she wanted to take an intelligent interest in him, and to have an intelligent response. She did not want a mere nocturnal presence, which was what he was so far. And she prided herself that he could not leave her.

eine wunderbar warme, wohlige Art, ein Mädchen im Arm zu halten, und war gerade recht zum Anschmiegen. Es war wirklich schön, sich so halten zu lassen: so gemütlich und wohlig und nett. Er beugte sich zu ihr, und sie spürte seinen Atem auf ihrem Haar, sie wusste, dass er sie gerne auf den Mund küssen würde. Und er war ja wirklich so warm, und sie konnte sich so weich an ihn schmiegen. Sie wollte wirklich, dass er ihre Lippen berührte.

Aber plötzlich wurde es wieder hell, und sie zuckte wie elektrisiert zusammen und rückte ihren Hut gerade. Er ließ seinen Arm lässig auf ihrer Rückenlehne liegen. Nun, es machte Spaß, es war aufregend, mit John Thomas auf dem Jahrmarkt zu sein.

Als der Film zu Ende war, machten sie einen Spaziergang in den dunklen, feuchten Wiesen. Er war ein erfahrener Liebhaber. Er war besonders gut darin, ein Mädchen im Arm zu halten, wenn er mit ihr in der finsteren, feuchten Dunkelheit auf einem Zaun saß. Es kam ihr so vor, als schwebte sie in seinen Armen, in seiner wohltuenden Wärme. Und seine Küsse waren weich und sacht und suchend.

Annie ging also mit John Thomas, ließ aber ihren Freund im Hintergrund weiter zappeln. Ein paar von den Straßenbahnmädchen waren verschnupft, aber in diesem Leben muss man nun mal die Dinge nehmen, wie sie kommen.

Zweifellos mochte Annie diesen John Thomas sehr. In seiner Nähe fühlte sie sich immer so wohlig und warm. Und John Thomas mochte Annie leiden, mehr als die anderen. Diese weiche, nachgiebige Art, wie sie in einem Mann aufzugehen, mit ihm zu verschmelzen schien, ganz und gar, das war schon etwas Besonderes und Schönes. Es gefiel ihm gut.

Aber je länger sie sich kannten, um so vertrauter wurde ihr Umgang. Annie wollte ihn als Menschen sehen, als Mann: Sie wollte ernsthaften Anteil an ihm nehmen und ernsthafte Antworten erhalten. Sie wollte nicht nur eine nächtliche Bekanntschaft, die er bis dahin gewesen war. Und sie bildete sich ein, dass er sie nie verlassen könnte.

Here she made a mistake. John Thomas intended to remain a nocturnal presence; he had no idea of becoming an all-round individual to her. When she started to take an intelligent interest in him and his life and his character, he sheered off. He hated intelligent interest. And he knew that the only way to stop it was to avoid it. The possessive female was aroused in Annie. So he left her.

It is no use saying she was not surprised. She was at first startled, thrown out of her count. For she had been so very sure of holding him. For a while she was staggered, and everything became uncertain to her. Then she wept with fury, indignation, desolation, and misery. Then she had a spasm of despair. And then, when he came, still impudently, on to her car, still familiar, but letting her see by the movement of his head that he had gone away to somebody else for the time being, and was enjoying pastures new, then she determined to have her own back.

She had a very shrewd idea what girls John Thomas had taken out. She went to Nora Purdy. Nora was a tall, rather pale, but well-built girl, with beautiful yellow hair. She was rather secretive.

"Hey!" said Annie, accosting her, then softly: "Who's John Thomas on with now?"

"I don't know," said Nora.

"Why, tha does," said Annie, ironically lapsing into dialect. "Tha knows as well as I do."

"Well, I do, then," said Nora. "It isn't me, so don't bother."

"It's Cissy Meakin, isn't it?"

"It is, for all I know."

"Hasn't he got a face on him!" said Annie. "I don't half like his cheek. I could knock him off the foot-board when he comes round at me."

Da aber war sie im Irrtum. John Thomas beabsichtigte, eine nächtliche Bekanntschaft zu bleiben; er hatte nicht vor, für sie eine vielseitige Persönlichkeit zu werden. Als sie anfing, ernsthaften Anteil an ihm und seinem Leben und seinem Charakter zu nehmen, wich er aus. Ernsthafte Anteilnahme konnte er nicht ausstehen. Und er wusste, dass man sie nur unterbinden konnte, indem man ihr aus dem Weg ging. Die besitzergreifende Frau in Annie war erwacht. Darum verließ er sie.

Es wäre sinnlos zu behaupten, sie sei davon nicht überrascht worden. Zuerst war sie fassungslos, wie betäubt, denn sie war davon überzeugt gewesen, ihn fest in der Hand zu haben. Eine Zeitlang war sie verstört, nichts schien ihr mehr sicher. Dann weinte sie vor Zorn, Empörung, Einsamkeit und Unglück. Dann überkam sie Verzweiflung. Und als er zuletzt, immer noch anzüglich, immer noch vertraut in ihre Bahn stieg, aber sie durch die Drehung seines Kopfes merken ließ, dass er fürs erste zu einer anderen gegangen war und sich auf neuen Weiden gütlich tat, da beschloss sie, sich zu rächen.

Sie war schlau und wusste recht gut, mit welchen Mädchen John Thomas etwas gehabt hatte. Sie ging zu Nora Purdy. Nora war ein großes, ziemlich blasses, aber gut gebautes Mädchen mit wunderschönem blonden Haar. Sie tat sehr geheimnisvoll.

«He!» sagte Annie zur Begrüßung und dann leise: «Mit wem ist John Thomas denn jetzt zusammen?»

«Weiß ich nicht», antwortete Nora.

«Ach, klar weißt du's!» sagte Annie, die nun ironisch Dialekt sprach. «Du weißt's so gut wie ich. «

«Na schön», sagte Nora. «Ich bin's jedenfalls nicht, also ist mir's gleich.»

«Es ist Cissy Meakin, stimmt's?»

«Ja, soviel ich weiß.»

«Der hat ja Nerven!» sagte Annie. «So eine Frechheit von ihm. Ich hätte Lust, ihn vom Trittbrett zu stoßen, wenn er bei mir auftaucht.»

"He'll get dropped on one of these days," said Nora.

"Ay, he will, when somebody makes up their mind to drop it on him. I should like to see him taken down a peg or two, shouldn't you?"

"I shouldn't mind," said Nora.

"You've got quite as much cause to as I have," said Annie. "But we'll drop on him one of these days, my girl. What? Don't you want to?"

"I don't mind," said Nora.

But as a matter of fact, Nora was much more vindictive than Annie.

One by one Annie went the round of the old flames. It so happened that Cissy Meakin left the tramway service in quite a short time. Her mother made her leave. Then John Thomas was on the *qui vive*. He cast his eyes over his old flock. And his eyes lighted on Annie. He thought she would be safe now. Besides, he liked her.

She arranged to walk home with him on Sunday night. It so happened that her car would be in the depôt at half-past nine: the last car would come in at 10.15. So John Thomas was to wait for her there.

At the depôt the girls had a little waiting-room of their own. It was quite rough, but cosy, with a fire and an oven and a mirror, and table and wooden chairs. The half-dozen girls who knew John Thomas only too well had arranged to take service this Sunday afternoon. So, as the cars began to come in, early, the girls dropped into the waiting-room. And instead of hurrying off home, they sat around the fire and had a cup of tea. Outside was the darkness and lawlessness of war-time.

John Thomas came on the car after Annie, at about a quarter to ten. He poked his head easily into the girls' waiting-room.

«Irgendwann kriegt der nochmal sein Fett weg», sagte Nora.

«Ja, bestimmt, wenn sich jemand entschließt, ihm was zu verpassen. Ich würde mich freuen, wenn der mal zurechtgestutzt würde. Du nicht auch?»

«Hätte nichts dagegen», sagte Nora.

«Du hast so viel Grund dazu wie ich», sagte Annie. «Aber, meine Liebe, eines Tages werden wir ihm eine verpassen, wie? Hättest du nicht Lust dazu?»

«Hab nichts dagegen», sagte Nora.

Aber in Wahrheit war Nora weitaus rachsüchtiger als Annie.

Annie suchte die Verflossenen eine nach der anderen auf. Es ergab sich, dass Cissy Meakin schon nach kurzer Zeit wieder aus dem Straßenbahndienst ausschied. Ihre Mutter hatte sie dazu veranlasst. Nun hielt John Thomas wieder Ausschau. Er ließ den Blick über seine ehemaligen Schäfchen schweifen, und sein Auge fiel auf Annie. Er glaubte, sie sei nun ungefährlich. Außerdem mochte er sie.

Sie hatte mit ihm verabredet, dass er sie am Sonntagabend nach Hause begleiten sollte. Wie es sich ergab, würde ihre Bahn um halb zehn im Depot sein; die letzte Bahn würde um Viertel nach zehn ankommen. John Thomas sollte also dort auf sie warten.

Im Depot hatten die Mädchen einen kleinen Raum für sich. Er war einfach, aber gemütlich, mit offenem Feuer, Kochgelegenheit und Spiegel, Tisch und Holzstühlen. Das halbe Dutzend Mädchen, das John Thomas nur zu gut kannte, hatte es so eingerichtet, dass alle an diesem Sonntagnachmittag Dienst hatten. Als die ersten Bahnen nun zurückkehrten, gingen die Mädchen in den Aufenthaltsraum. Statt schnell nach Hause zu gehen, saßen sie ums Feuer und tranken Tee. Draußen herrschte die Dunkelheit und Gesetzlosigkeit der Kriegszeit.

John Thomas kam eine Bahn später als Annie, ungefähr um Viertel vor zehn. Er spähte lässig in den Aufenthaltsraum der Mädchen.

"Prayer-meeting?" he asked.

"Ay," said Laura Sharp. "Ladies only."

"That's me!" said John Thomas. It was one of his favourite exclamations.

"Shut the door, boy," said Muriel Baggaley.

"Oh, which side of me?" said John Thomas.

"Which tha likes," said Polly Birkin.

He had come in and closed the door behind him. The girls moved in their circle, to make a place for him near the fire. He took off his great-coat and pushed back his hat.

"Who handles the teapot?" he said.

Nora Purdy silently poured him out a cup of tea.

"Want a bit o' my bread and drippin'?" said Muriel Baggaley to him.

"Ay, give us a bit."

And he began to eat his piece of bread.

"There's no place like home, girls," he said.

They all looked at him as he uttered this piece of impudence. He seemed to be sunning himself in the presence of so many damsels.

"Especially if you're not afraid to go home in the dark," said Laura Sharp.

"Me! By myself I am."

They sat till they heard the last tram come in. In a few minutes Emma Houselay entered.

"Come on, my old duck!" cried Polly Birkin.

"It is perishing," said Emma, holding her fingers to the fire.

"But – I'm afraid to, go home in, the dark," sang Laura Sharp, the tune having got into her mind.

"Who're you going with to-night, John Thomas?" asked Muriel Baggaley coolly.

"Tonight?" said John Thomas. "Oh, I'm going home by myself to-night – all on my lonely-o."

"That's me!" said Nora Purdy, using his own ejaculation.

«Gebetsversammlung?» fragte er.

«Ja», sagte Laura Sharp. «Aber nur für Frauen.»

«Genau wie ich!» sagte John Thomas. Das war eine seiner Lieblingswendungen.

«Mach die Tür zu, Junge», sagte Muriel Baggaley.

«Von welcher Seite denn?» fragte John Thomas.

«Wie du willst», sagte Polly Birkin.

Er war inzwischen eingetreten und hatte die Tür hinter sich zugemacht. Die Mädchen rückten zusammen, um ihm in ihrem Kreis beim Feuer Platz zu machen. Er zog seinen Mantel aus und schob die Mütze nach hinten.

«Wer ist denn für den Tee zuständig?» fragte er.

Nora Purdy goss ihm schweigend eine Tasse ein.

«Willst du was von meinem Schmalzbrot haben?» fragte ihn Muriel Baggaley.

«Ja, gib mir'n Stück.»

Und er biss in das Stück Brot.

«Zu Hause ist es doch am schönsten, Mädels», sagte er.

Alle sahen ihn an, als er diese Unverfrorenheit äußerte. Er schien sich in der Gegenwart von so vielen jungen Damen zu sonnen.

«Vor allem, wenn du keine Angst haben musst, im Dunkeln nach Hause zu gehen», sagte Laura Sharp.

«Ich? Ich bin ganz für mich allein.»

Sie saßen da, bis sie die letzte Tram hereinkommen hörten. Nach einigen Minuten trat Emma Houselay ein.

«Komm rein, Süße!» rief Polly Birkin.

«Es ist eisig», sagte Emma und streckte ihre Hände zum Feuer.

«Oh ich hab Angst im – Dunkeln nach – Haus zu gehn», sang Laura Sharp, der gerade die Melodie einfiel.

«Mit wem gehst du denn heute abend aus, John Thomas?» fragte Muriel Baggaley kaltblütig.

«Heute abend?» antwortete John Thomas. «Oh, heute abend gehe ich ganz allein nach Hause – ganz alleine-lein.»

«Genau wie ich!» sagte Nora Purdy, indem sie seine typische Redensart benutzte.

The girls laughed shrilly.

"Me as well, Nora," said John Thomas.

"Don't know what you mean," said Laura.

"Yes, I'm toddling," said he, rising and reaching for his overcoat.

"Nay," said Polly. "We're all here waiting for you."

"We've got to be up in good time in the morning," he said, in the benevolent official manner.

They all laughed.

"Nay," said Muriel. "Don't leave us all lonely, John Thomas. Take one!"

"I'll take the lot, if you like," he responded gallantly.

"That you won't, either," said Muriel. "Two's company; seven's too much of a good thing."

"Nay – take one," said Laura. "Fair and square, all above board and say which."

"Ay," cried Annie, speaking for the first time. "Pick, John Thomas; let's hear thee."

"Nay," he said. "I'm going home quiet to-night. Feeling good, for once."

"Whereabouts?" said Annie. "Take a good 'un, then. But tha's got to take one of us!"

"Nay, how can I take *one*," he said, laughing uneasily. "I don't want to make enemies."

"You'd only make *one*," said Annie.

"The chosen one," added Laura.

"Oh, my! Who said girls!" exclaimed John Thomas, again turning, as if to escape. "Well – good-night."

"Nay, you've got to make your pick," said Muriel. "Turn your face to the wall, and say which one touches you. Go on – we shall only just touch your back – one of us. Go on – turn your face to the wall, and don't look, and say which one touches you."

He was uneasy, mistrusting them. Yet he had not the courage to break away. They pushed him to a

Die anderen Mädchen lachten schrill.

«Ich auch, Nora», sagte John Thomas.

«Ich weiß nicht, was du meinst», sagte Laura.

«Ja, dann mach ich mich mal auf die Socken», sagte er, stand auf und griff nach seinem Mantel.

«Nein», sagte Polly. «Wir alle warten hier auf dich.»

«Wir müssen doch morgen alle früh aufstehen», sagte er mit dienstlicher Fürsorglichkeit.

Sie lachten.

«Nein», sagte Muriel. «Lass uns nicht alle allein, John Thomas. Nimm wenigstens eine mit!»

«Ich nehm euch alle mit, wenn ihr wollt», erwiderte er galant.

«Das brauchst du nun auch nicht», sagte Muriel. «Zu zweit ists schön. Sieben sind des Guten zuviel.»

«Nein – nimm eine», sagte Laura. «Geradeheraus, offen und ehrlich, und nun sag welche.»

«Ja!» rief Annie, die bisher geschwiegen hatte. «Wähl dir eine. Lass hören!»

«Nein», sagte er. «Ich gehe heute abend still nach Hause. Ausnahmsweise fühle ich mich gut dabei.»

«Und wo?» fragte Annie. «Such dir ne gute aus. Aber es muss eine von uns sein!»

«Wie sollte ich mir denn eine aussuchen?» sagte er und lachte nervös. «Ich will mir doch keine Feinde machen.»

«Du verdirbst es dir nur mit einer», sagte Annie.

«Mit der Erwählten», ergänzte Laura.

«Oh je! Sowas nennt man Mädchen!» rief John Thomas aus und wandte sich wieder um, wie um zu fliehen. «Also dann – gute Nacht.»

«Nein, du musst eine Wahl treffen», sagte Muriel. «Dreh dich zur Wand und sag, welche dich angefasst hat. Nun mach schon – wir werden dich nur am Rücken berühren, eine von uns. Mach schon, dreh dich zur Wand. Aber nicht umschauen. Dann sag, welche dich angefasst hat.»

Er war unsicher, traute ihnen nicht. Er hatte aber auch nicht den Mut sich loszureißen. Sie drängten ihn vorwärts

wall and stood him there with his face to it. Behind
his back they all grimaced, tittering. He looked
so comical. He looked around uneasily.

"Go on!" he cried.

"You're looking – you're looking!" they shouted.

He turned his head away. And suddenly, with a
movement like a swift cat, Annie went forward and
fetched him a box on the side of the head that sent
his cap flying and himself staggering. He started
round.

But at Annie's signal they all flew at him, slap-
ping him, pinching him, pulling his hair, though
more in fun than in spite or anger. He, however,
saw red. His blue eyes flamed with strange fear
as well as fury, and he butted through the girls to
the door. It was locked. He wrenched at it. Roused,
alert, the girls stood round and looked at him.
He faced them, at bay. At that moment they were
rather horrifying to him, as they stood in their
short uniforms. He was distinctly afraid.

"Come on, John Thomas! Come on! Choose!"
said Annie.

"What are you after? Open the door," he said.

"We shan't – not till you've chosen!" said Muriel.

"Chosen what?" he said.

"Chosen the one you're going to marry," she
replied.

He hesitated a moment.

"Open the blasted door," he said, "and get back
to your senses." He spoke with official authority.

"You've got to choose!" cried the girls.

"Come on!" tried Annie, looking him in the eye.
"Come on! Come on!"

He went forward, rather vaguely. She had taken
off her belt, and swinging it, she fetched him a
sharp blow over the head with the buckle end. He
sprang and seized her. But immediately the other

und drehten ihn mit dem Gesicht zur Wand. Hinter seinem Rücken schnitten sie Gesichter und kicherten. Er sah so komisch aus. Er drehte sich unsicher um.

«Nun macht schon!» rief er.

«Du schaust um! Du schaust um!» riefen sie.

Er drehte sich wieder zur Wand. Und plötzlich, mit einer Bewegung wie eine geschmeidige Katze, trat Annie vor und versetzte ihm einen Schlag gegen den Kopf, dass seine Mütze herunterfiel und er selbst ins Wanken geriet. Er fuhr herum.

Aber auf Annies Zeichen hin fielen sie alle über ihn her und knufften ihn, zwickten ihn, zogen ihn am Haar, jedoch mehr im Spaß als aus Bosheit oder Zorn. Er aber sah nun rot. In seinen blauen Augen loderte seltsame Angst und zugleich Wut. Er drängte sich zwischen den Mädchen durch zur Tür. Sie war zugesperrt. Er rüttelte daran. Gespannt und wachsam standen die Mädchen da und sahen ihn an. Er stand ihnen gegenüber wie ein in die Enge getriebenes Wild. Jetzt kamen sie ihm furchtbar vor, wie sie da standen in ihren kurzen Uniformen. Er hatte richtig Angst.

«Komm schon, John Thomas! Komm schon! Wähle!» rief Annie.

«Worauf wollt ihr denn hinaus? Macht die Tür auf», sagte er.

«Nein, erst wenn du gewählt hast!» sagte Muriel.

«Wen denn gewählt?» fragte er.

«Die du einmal heiraten wirst», erwiderte sie.

Er zögerte einen Augenblick.

«Macht die verdammte Tür auf», befahl er, «und werdet wieder normal!» Er sprach mit amtlicher Autorität.

«Du musst aber wählen!» riefen die Mädchen.

«Komm schon!» rief Annie und sah ihm in die Augen. «Komm schon! Komm schon!»

Er ging auf sie zu, ziemlich unsicher. Sie schwang ihren Gürtel, den sie abgelegt hatte, und schlug ihm mit der Schnalle heftig auf den Kopf. Er sprang vor und packte sie. Aber sogleich stürzten sich die anderen Mädchen auf

girls rushed upon him, pulling and tearing and beating him. Their blood was now thoroughly up. He was their sport now. They were going to have their own back out of him. Strange, wild creatures, they hung on him and rushed at him to bear him down. His tunic was torn right up the back, Nora had hold at the back of his collar, and was actually strangling him. Luckily the button burst. He struggled in a wild frenzy of fury and terror, almost mad terror. His tunic was simply torn off his back, his shirt-sleeves were torn away, his arms were naked. The girls rushed at him, clenched their hands on him and pulled at him: or they rushed at him and pushed him, butted him with all their might: or they struck him wild blows. He ducked and cringed and struck sideways. They became more intense.

At last he was down. They rushed on him, kneeling on him. He had neither breath nor strength to move. His face was bleeding with a long scratch, his brow was bruised.

Annie knelt on him, the other girls knelt and hung on to him. Their faces were flushed, their hair wild, their eyes were all glittering strangely. He lay at last quite still, with face averted, as an animal lies when it is defeated and at the mercy of the captor. Sometimes his eye glanced back at the wild faces of the girls. His breast rose heavily, his wrists were torn.

"Now, then, my fellow!" gasped Annie at length. "Now then – now –"

At the sound of her terrifying, cold triumph, he suddenly started to struggle as an animal might, but the girls threw themselves upon him with unnatural strength and power, forcing him down.

"Yes – now, then!" gasped Annie at length.

And there was a dead silence, in which the thud of heart-beating was to be heard. It was a suspense of pure silence in every soul.

ihn und zerrten, rissen, schlugen ihn. Ihr Blut war nun in Wallung. Er war nun ihr Spielball. Sie wollten Rache, jede wollte sich an ihm rächen. Sonderbar wilde Geschöpfe, klammerten sie sich an ihn, stürmten auf ihn ein, um ihn zu Fall zu bringen. Die Rückennaht seiner Uniformjacke war aufgeplatzt, Nora hatte von hinten seinen Kragen gepackt und würgte ihn. Zu seinem Glück ging der Knopf ab. Er wehrte sich in wilder Wut und Angst, beinahe rasender Angst. Seine Uniformjacke war ihm heruntergerissen worden, seine Hemdsärmel waren in Fetzen gegangen, seine Arme waren nackt. Die Mädchen stürzten sich auf ihn, packten ihn mit den Händen und zerrten an ihm oder sie stürzten sich auf ihn und stießen ihn, rammten ihn mit aller Kraft: oder sie versetzten ihm wilde Schläge. Er duckte sich, wich aus und keilte nach der Seite. Die Mädchen wurden noch heftiger.

Schließlich lag er am Boden. Sie stürzten sich auf ihn, knieten auf ihm. Ihm fehlten Atem und Kraft, um sich noch zu bewegen. Er blutete aus einer langen Kratzspur im Gesicht, auf der Stirn hatte er Schürfwunden.

Annie kniete auf ihm, die anderen Mädchen hielten ihn kniend fest. Ihre Gesichter waren gerötet, ihr Haar wild, ihre Augen glitzerten seltsam. Schließlich lag er ganz still da, das Gesicht abgewandt, so wie ein Tier daliegt, das besiegt und dem Gegner ausgeliefert ist. Mitunter blickte er kurz in die wilden Gesichter der Mädchen. Seine Brust hob sich schwer, seine Handgelenke waren zerkratzt.

«Also dann, mein Freund!» keuchte Annie nach einer Weile. «Also dann... also...»

Als er den schrecklichen, kalten Triumph in ihrer Stimme hörte, bäumte er sich plötzlich auf wie ein Tier, aber die Mädchen warfen sich mit unnatürlicher Stärke und Macht auf ihn und zwangen ihn nieder.

«Ja, also dann!» keuchte Annie nach einer Weile.

Und eine Totenstille trat ein, in der das Pochen von Herzen zu hören war. In jeder Seele war angespannte, reine Stille.

"Now you know where you are," said Annie.

The sight of his white, bare arm maddened the girls. He lay in a kind of trance of fear and antagonism. They felt themselves filled with supernatural strength.

Suddenly Polly started to laugh – to giggle wildly – helplessly – and Emma and Muriel joined in. But Annie and Nora and Laura remained the same, tense, watchful, with gleaming eyes. He winced away from these eyes.

"Yes," said Annie, in a curious low tone, secret and deadly. "Yes! You've got it now. You know what you've done, don't you? You know what you've done."

He made no sound nor sign, but lay with bright, averted eyes, and averted, bleeding face.

"You ought to be *killed*, that's what you ought," said Annie, tensely. "You ought to be *killed*." And there was a terrifying lust in her voice.

Polly was ceasing to laugh, and giving long-drawn Oh-h-hs and sighs as she came to herself.

"He's got to choose," she said vaguely.

"Oh, yes, he has," said Laura, with vindictive decision.

"Do you hear – do you hear?" said Annie. And with a sharp movement, that made him wince, she turned his face to her.

"Do you hear?" she repeated, shaking him.

But he was quite dumb. She fetched him a sharp slap on the face. He started, and his eyes widened. Then his face darkened with defiance, after all.

"Do you hear?" she repeated.

He only looked at her with hostile eyes.

"Speak!" she said, putting her face devilishly near his.

"What?" he said, almost overcome.

"You've got to *choose*!" she cried, as if it were

«Jetzt weißt du, woran du bist», sagte Annie.

Der Anblick seines weißen nackten Arms machte die Mädchen wie toll. Er lag vor Angst und widerstreitenden Regungen wie betäubt da. Sie fühlten sich von übernatürlicher Kraft erfüllt.

Plötzlich fing Polly an zu lachen, wild zu kichern, unbeherrscht – und Emma und Muriel stimmten ein. Aber Annie und Nora und Laura blieben unverändert, konzentriert, wachsam, mit leuchtenden Augen. Vor diesen Augen schreckte er zurück.

«Ja!» sagte Annie mit seltsam leiser Stimme, verhalten und tödlich. «Ja! Jetzt hast du's. Du weißt ja, was du getan hast, nicht wahr? Du weißt, was du getan hast.»

Er gab weder Laut noch Zeichen von sich, lag nur da mit hellen, abgewandten Augen und abgewandtem blutendem Gesicht.

«Dich sollte man umbringen. Ja, das sollte man», sagte Annie gepresst. «Dich sollte man umbringen.» Und in ihrer Stimme lag furchtbare Lust.

Pollys Lachen wurde schwächer; sie sagte nur ein paar Ach und Oh, während sie wieder zu sich kam.

«Er muss wählen», sagte sie teilnahmslos.

«Ja, er muss», sagte Laura mit rachsüchtiger Entschiedenheit.

«Hast du gehört – hast du gehört?» sagte Annie. Und mit einem Ruck, der ihn zusammenzucken ließ, drehte sie sein Gesicht zu sich.

«Hast du gehört?» wiederholte sie und schüttelte ihn.

Aber er war wie taub. Sie schlug ihm heftig ins Gesicht. Er schreckte auf, und seine Augen weiteten sich. Dann aber verdüsterte sich sein Gesicht vor Trotz.

«Hast du gehört?» wiederholte sie.

Er sah sie nur feindselig an.

«Sag was!» befahl sie und kam seinem Gesicht mit ihrem teuflisch nah.

«Was denn?» fragte er, fast von Sinnen.

«Du sollst wählen!» stieß sie hervor, als wäre es eine

some terrible menace, and as if it hurt her that she could not exact more.

"What?" he said, in fear.

"Choose your girl, Coddy. You've got to choose her now. And you'll get your neck broken if you play any more of your tricks, my boy. You're settled now."

There was a pause. Again he averted his face. He was cunning in his overthrow. He did not give in to them really – no, not if they tore him to bits.

"All right, then," he said, "I choose Annie." His voice was strange and full of malice. Annie let go of him as if he had been a hot coal.

"He's chosen Annie!" said the girls in chorus.

"Me!" cried Annie. She was still kneeling, but away from him. He was still lying prostrate, with averted face. The girls grouped uneasily around.

"Me! " repeated Annie, with a terrible bitter accent.

Then she got up, drawing away from him with strange disgust and bitterness.

"I wouldn't touch him," she said.

But her face quivered with a kind of agony, she seemed as if she would fall. The other girls turned aside. He remained lying on the floor, with his torn clothes and bleeding, averted face.

"Oh, if he's chosen –" said Polly.

"I don't want him – he can choose again," said Annie, with the same rather bitter hopelessness.

"Get up," said Polly, lifting his shoulder. "Get up."

He rose slowly, a strange, ragged, dazed creature. The girls eyed him from a distance, curiously, furtively, dangerously,

"Who wants him?" cried Laura, roughly.

"Nobody," they answered, with contempt. Yet

schreckliche Drohung und als schmerzte es sie, dass sie nicht mehr verlangen konnte.

« Was denn? » fragte er voll Angst.

« Such dir dein Mädchen aus, Coddy. Du musst jetzt deine Wahl treffen. Und dir wird das Genick gebrochen, wenn du weiter deine Spielchen treibst, Junge. Jetzt haben wir dich. »

Einen Augenblick war Stille. Wieder wandte er sein Gesicht ab. Auch in der Niederlage war er noch schlau. Er gab ihnen nicht wirklich nach – nein, und wenn sie ihn in Stücke rissen.

« Na schön », sagte er, « dann wähle ich Annie. » Seine Stimme klang fremd und boshaft. Annie ließ ihn los wie ein Stück glühende Kohle.

« Er hat Annie gewählt! » riefen die Mädchen im Chor.

« Mich! » rief Annie aus. Sie kniete noch, jetzt aber neben ihm. Er lag noch immer da, mit abgewandtem Gesicht. Die anderen Mädchen standen verlegen um sie herum.

« Mich! » wiederholte Annie mit furchtbarer Bitterkeit.

Dann stand sie auf und entfernte sich von ihm mit seltsamer Abscheu und Bitterkeit.

« Den würde ich nie anfassen », sagte sie.

Aber in ihrem Gesicht zuckte es wie von Schmerz, es schien, als würde sie gleich umfallen. Die anderen Mädchen wandten sich zur Seite. Er blieb mit seinen zerrissenen Kleidern auf dem Boden liegen, blutend, mit abgewandtem Gesicht.

« Ach, wenn er gewählt hat... » sagte Polly.

« Ich will ihn nicht haben – er kann nochmal wählen », sagte Annie mit derselben so bitteren Hoffnungslosigkeit.

« Steh auf », sagte Polly und fasste ihn unter die Schulter. « Steh auf. »

Er erhob sich langsam, eine seltsam zerlumpte, halb betäubte Gestalt. Die Mädchen betrachteten ihn aus einiger Entfernung – neugierig, verstohlen, gefährlich.

« Wer will ihn haben? » rief Laura roh.

« Niemand », antworteten sie verächtlich. Und dabei

each one of them waited for him to look at her, hoped he would look at her. All except Annie, and something was broken in her.

He, however, kept his face closed and averted from them all. There was a silence of the end. He picked up the torn pieces of his tunic, without knowing what to do with them. The girls stood about uneasily, flushed, panting, tidying their hair and their dress unconsciously, and watching him. He looked at none of them. He espied his cap in a corner, and went and picked it up. He put it on his head, and one of the girls burst into a shrill, hysteric laugh at the sight he presented. He, however, took no heed, but went straight to where his overcoat hung on a peg. The girls moved away from contact with him as if he had been an electric wire. He put on his coat and buttoned it down. Then he rolled his tunic-rags into a bundle, and stood before the locked door, dumbly.

"Open the door, somebody," said Laura.

"Annie's got the key," said one.

Annie silently offered the key to the girls. Nora unlocked the door.

"Tit for tat, old man," she said. "Show yourself a man, and don't bear a grudge."

But without a word or sign he had opened the door and gone, his face closed, his head dropped.

"That'll learn him," said Laura.

"Coddy!" said Nora.

"Shut up, for God's sake!" cried Annie fiercely, as if in torture.

"Well, I'm about ready to go, Polly. Look sharp!" said Muriel.

The girls were all anxious to be off. They were tidying themselves hurriedly, with mute, stupefied faces.

wartete jede von ihnen darauf, dass er sie ansah, hoffte, dass er sie ansah. Alle außer Annie; in ihr war etwas zerbrochen.

Er jedoch hielt sein Gesicht verschlossen und von ihnen allen abgewandt. Es herrschte die Stille des Endes. Er las die Fetzen seiner Jacke auf ohne zu wissen, was er damit anfangen sollte. Die Mädchen standen verlegen umher, erhitzt, schwer atmend, brachten unbewusst ihr Haar und ihre Kleider in Ordnung und beobachteten ihn. Er sah keine an. In einer Ecke entdeckte er seine Mütze, und er ging und hob sie auf. Er setzte sie auf, und eins der Mädchen brach bei dem Anblick, den er bot, in schrilles, hysterisches Gelächter aus. Er achtete gar nicht darauf, sondern ging geradewegs dorthin, wo sein Mantel an einem Haken hing. Die Mädchen wichen einer Berührung mit ihm aus, als wäre er ein elektrischer Draht. Er zog seinen Mantel an und knöpfte ihn zu. Dann rollte er die Fetzen seiner Uniformjacke zu einem Bündel und blieb stumm an der abgeschlossenen Tür stehen.

«Jemand soll die Tür aufmachen», sagte Laura.

«Annie hat den Schlüssel», antwortete eine.

Schweigend hielt Annie den Mädchen den Schlüssel hin. Nora schloss die Tür auf.

«Gleiches mit Gleichem, alter Junge», sagte sie. «Nun zeig, dass du ein Mann bist und uns nichts nachträgst.»

Aber ohne ein Wort oder Zeichen hatte er die Tür geöffnet und war gegangen, das Gesicht verschlossen, den Kopf gesenkt.

«Das war ihm eine Lehre», sagte Laura.

«Coddy!» sagte Nora.

«Haltet doch den Mund, Herrgottnochmal!» schrie Annie wütend, wie gequält.

«So, ich bin dann fertig, Polly, ich geh. Macht's gut», sagte Muriel.

Die Mädchen hatten es eilig zu gehen. Hastig machten sie sich zurecht, stumm, mit benommenen Gesichtern.

And after all the weather was ideal. They could not
have had a more perfect day for a garden party if
they had ordered it. Windless, warm, the sky without a cloud. Only the blue was veiled with a haze
of light gold, as it is sometimes in early summer.
The gardener had been up since dawn, mowing the
lawns and sweeping them, until the grass and the
dark flat rosettes where the daisy plants had been
seemed to shine. As for the roses, you could not
help feeling they understood that roses are the only
flowers that impress people at garden parties; the
only flowers that everybody is certain of knowing.
Hundreds, yes, literally hundreds, had come out
in a single night; the green bushes bowed down as
though they had been visited by archangels.

Breakfast was not yet over before the men came
to put up the marquee.

"Where do you want the marquee put, mother?"

"My dear child, it's no use asking me. I'm determined to leave everything to you children this
year. Forget I am your mother. Treat me as an hon-
oured guest."

But Meg could not possibly go and supervise
the men. She had washed her hair before breakfast, and she sat drinking her coffee in a green turban, with a dark wet curl stamped on each cheek.
Jose, the butterfly, always came down in a silk
petticoat and a kimono jacket.

"You'll have to go, Laura; you're the artistic one."

Away Laura flew, still holding her piece of bread-
and-butter. It's so delicious to have an excuse for
eating out of doors, and besides, she loved having
to arrange things; she always felt she could do it so
much better than anybody else.

Four men in their shirt-sleeves stood grouped

Und das Wetter war schließlich ideal. Sie hätten keinen voll-
kommeneren Tag für ein Gartenfest haben können, auch
wenn sie ihn bestellt hätten. Windstill, warm, der Himmel
ohne eine Wolke. Nur das Blau war von einem lichten Gold-
dunst verschleiert, wie manchmal im frühen Sommer. Der
Gärtner war seit der Morgendämmerung auf und hatte die
Rasenflächen gemäht und reingefegt, bis das Gras und die
dunklen, flachen Rosetten, wo die Gänseblümchen gestan-
den hatten, zu glänzen schienen. Was die Rosen betrifft,
so kam man von dem Gefühl nicht los, sie wüssten es, dass
Rosen die einzigen Blumen sind, die Leute auf Gartenfesten
beeindrucken, die einzigen Blumen, die jedermann sicher
kennt. Hunderte, ja buchstäblich Hunderte waren in einer
einzigen Nacht aufgeblüht; die grünen Sträucher beugten
sich nieder, als ob Erzengel sie besucht hätten.

Das Frühstück war noch nicht vorüber, als die Männer
kamen, um das Festzelt aufzustellen.

«Wohin möchtest du das Zelt gestellt haben, Mutter?»

«Liebes Kind, es hat keinen Zweck, mich zu fragen. Ich
habe mir vorgenommen, dieses Jahr alles euch Kindern zu
überlassen. Vergesst, dass ich eure Mutter bin. Behandelt
mich als Ehrengast.»

Aber Meg konnte unmöglich gehen und die Männer
beaufsichtigen. Sie hatte ihre Haare vor dem Frühstück
gewaschen und saß nun zum Kaffeetrinken da mit einem
grünen Turban; an jeder Wange klebte eine dunkle, nasse
Locke. Jose, der Schmetterling, kam wie immer in einem
seidenen Unterrock und einer Kimono-Jacke herunter.

«Du wirst gehen müssen, Laura; du bist die Künstleri-
sche.»

Weg war Laura – samt ihrem Butterbrot. Es ist so köstlich, unter einem guten Vorwand draußen zu essen; und
nebenbei: sie ordnete auch gerne etwas an; sie fühlte immer, sie konnte es so viel besser als irgendjemand sonst.

Vier Männer in Hemdsärmeln standen auf dem Garten-

together on the garden path. They carried staves covered with rolls of canvas, and they had big tool-bags slung on their backs. They looked impressive. Laura wished now that she was not holding that piece of bread-and-butter, but there was nowhere to put it, and she couldn't possibly throw it away. She blushed and tried to look severe and even a little bit short-sighted as she came up to them.

"Good morning," she said, copying her mother's voice. But that sounded so fearfully affected that she was ashamed, and stammered like a little girl, "Oh – er – have you come – is it about the marquee?"

"That's right, miss," said the tallest of the men, a lanky, freckled fellow, and he shifted his tool-bag, knocked back his straw hat and smiled down at her. "That's about it."

His smile was so easy, so friendly, that Laura recovered. What nice eyes he had, small, but such a dark blue! And now she looked at the others, they were smiling too. "Cheer up, we won't bite," their smile seemed to say. How very nice workmen were! And what a beautiful morning! She mustn't mention the morning; she must be business-like. The marquee.

"Well, what about the lily-lawn? Would that do?"

And she pointed to the lily-lawn with the hand that didn't hold the bread-and-butter. They turned, they stared in the direction. A little fat chap thrust out his under-lip, and the tall fellow frowned.

"I don't fancy it," said he. "Not conspicuous enough. You see, with a thing like a marquee," and he turned to Laura in his easy way, "you want to put it somewhere where it'll give you a bang slap in the eye, if you follow me."

Laura's upbringing made her wonder for a moment whether it was quite respectful of a workman

weg in einer Gruppe zusammen. Sie trugen Stangen mit
Rollen von Segeltuch und hatten große Werkzeugtaschen
auf dem Rücken hängen. Sie sahen eindrucksvoll aus. Laura
wünschte jetzt, sie hätte nicht das Butterbrot in der Hand
gehabt, aber sie konnte es nirgends ablegen und konnte es
ja auch nicht gut wegwerfen. Sie errötete und versuchte,
streng und sogar ein klein wenig kurzsichtig auszusehen,
als sie zu ihnen kam.

«Guten Morgen», sagte sie, die Stimme ihrer Mutter
nachahmend. Aber es klang so unsicher und so geziert, dass
sie sich schämte; und nun stammelte sie wie ein kleines
Mädchen: «Oh – äh – sind Sie da – handelt es sich um das
Zelt?»

«Richtig, Fräulein», sagte der größte der Männer, ein
hagerer, sommersprossiger Mensch; er rückte an seiner
Werkzeugtasche, stieß seinen Strohhut zurück und lächelte zu ihr herunter. «Darum geht's!»

Sein Lächeln war so leicht, so freundlich, dass sich Laura
wieder fing. Was für nette Augen er hatte, klein, aber so
ein dunkles Blau! Und nun schaute sie die anderen an, die
lächelten auch. «Kopf hoch, wir beißen nicht», schien ihr
Lächeln zu sagen. Wie sehr nett Arbeiter doch waren! Und
was für ein schöner Morgen! Aber sie durfte nicht von
dem schönen Morgen reden, sie musste geschäftlich sein.
Das Zelt.

«Nun, wie wär's mit dem Lilienrasen? Ginge das?»

Mit der Hand, die nicht das Butterbrot hielt, deutete sie
zum Lilienrasen. Die Männer drehten sich um und starrten in die Richtung. Ein kleiner, dicker Bursche schob die
Unterlippe vor, und der Große runzelte die Stirn.

«Ich kann es mir nicht vorstellen», sagte er. «Nicht auf-
fallend genug. Wissen Sie – mit so einem Ding wie einem
Zelt» – und er wandte sich zu Laura in seiner ungezwunge-
nen Art, «man möchte es wohin stellen, wo es einem so
richtig in die Augen knallt – wenn Sie mich verstehen.»

Lauras Erziehung ließ sie einen Augenblick überlegen,
ob es sehr höflich von einem Arbeiter sei, ihr etwas von

to talk to her of bangs slap in the eye. But she did quite follow him.

"A corner of the tennis-court," she suggested. "But the band's going to be in one corner."

"H'm, going to have a band, are you?" said another of the workmen. He was pale. He had a haggard look as his dark eyes scanned the tennis-court. What was he thinking?

"Only a very small band," said Laura gently. Perhaps he wouldn't mind so much if the band was quite small. But the tall fellow interrupted.

"Look here, miss, that's the place. Against those trees. Over there. That'll do fine."

Against the karakas. Then the karaka-trees would be hidden. And they were so lovely, with their broad, gleaming leaves, and their clusters of yellow fruit. They were like trees you imagined growing on a desert island, proud, solitary, lifting their leaves and fruits to the sun in a kind of silent splendour. Must they be hidden by a marquee?

They must. Already the men had shouldered their staves and were making for the place. Only the tall fellow was left. He bent down, pinched a sprig of lavender, put his thumb and forefinger to his nose and snuffed up the smell. When Laura saw that gesture she forgot all about the karakas in her wonder at him caring for things like that – caring for the smell of lavender. How many men that she knew would have done such a thing. Oh, how extraordinarily nice workmen were, she thought. Why couldn't she have workmen for friends rather than the silly boys she danced with and who came to Sunday night supper? She would get on much better with men like these.

It's all the fault, she decided, as the tall fellow drew something on the back of an envelope, something that was to be looped up or left to hang, of

«ins Auge knallen» zu sagen. Aber sie verstand genau,
was er meinte.

«Eine Ecke vom Tennisplatz», schlug sie vor. «Aber in
einer Ecke wird die Kapelle sein.»

«Hm, Sie haben also eine Kapelle, ja?» sagte ein anderer Arbeiter. Er war blass. Er hatte einen vergrämten Blick,
als seine dunklen Augen den Tennisplatz prüften. Was
dachte er?

«Nur eine ganz kleine Kapelle», sagte Laura sanft. Vielleicht würde es ihm nicht so viel ausmachen, wenn die
Kapelle ganz klein war. Aber der Große unterbrach.

«Schau'n Sie her, Fräulein, dort ist der Platz. Vor diesen
Bäumen. Da drüben. Das wird sich gut machen.»

Vor den Karakas. Dann würden die Karaka-Bäume ver-
deckt. Und die waren doch so lieblich mit ihren breiten,
schimmernden Blättern und den Büscheln gelber Früchte.
Sie waren so, wie man sich Bäume auf einer verlassenen
Insel vorstellt: stolz und einsam Laub und Früchte zur
Sonne erhebend in schweigender Pracht. Mussten sie hinter einem Zelt versteckt werden?

Sie mussten. Die Männer hatten schon ihre Stangen
geschultert und gingen auf den Platz zu. Nur der Große
blieb zurück. Er bückte sich, rieb ein Zweiglein Lavendel,
hielt sich Daumen und Zeigefinger unter die Nase und
schnupperte den Duft. Als Laura diese Gebärde sah, vergaß sie die Karakas in ihrem Erstaunen darüber, dass er
auf solche Dinge achtete – auf den Duft von Lavendel achtete! Wie viele von den Männern, die sie kannte, würden
so etwas tun? Oh, wie außerordentlich nett Arbeiter doch
waren, dachte sie. Warum konnte sie nicht lieber Arbeiter
zu Freunden haben anstatt der albernen Jungen, mit denen sie tanzte und die sonntags zum Abendessen kamen?
Mit Männern wie diesen hier würde sie sich viel besser
verstehen.

Der ganze Fehler, entschied sie, während der Große
etwas auf die Rückseite eines Briefumschlages zeichnete,
etwas, das aufzustecken oder hängenzulassen war, liegt

these absurd class distinctions. Well, for her part, she didn't feel them. Not a bit, not an atom... And now there came the chock-chock of wooden hammers. Some one whistled, some one sang out, "Are you right there, matey?" "Matey!" The friendliness of it, the – the – Just to prove how happy she was, just to show the tall fellow how at home she felt, and how she despised stupid conventions, Laura took a big bite of her bread-and-butter as she stared at the little drawing. She felt just like a work-girl.

"Laura, Laura, where are you? Telephone, Laura!" a voice cried from the house.

"Coming!" Away she skimmed, over the lawn, up the path, up the steps, across the veranda, and into the porch. In the hall her father and Laurie were brushing their hats ready to go to the office.

"I say, Laura," said Laurie very fast, "you might just give a squiz at my coat before this afternoon. See if it wants pressing."

"I will," said she. Suddenly she couldn't stop herself. She ran at Laurie and gave him a small, quick squeeze. "Oh, I do love parties, don't you?" gasped Laura.

"Ra-ther," said Laurie's warm, boyish voice, and he squeezed his sister too, and gave her a gentle push. "Dash off to the telephone, old girl."

The telephone. "Yes, yes; oh yes. Kitty? Good morning, dear. Come to lunch? Do, dear. Delighted of course. It will only be a very scratch meal – just the sandwich crusts and broken meringue-shells and what's left over. Yes, isn't it a perfect morning? Your white? Oh, I certainly should. One moment – hold the line. Mother's calling." And Laura sat back. "What, mother? Can't hear."

Mrs Sheridan's voice floated down the stairs. "Tell her to wear that sweet hat she had on last Sunday."

an den lächerlichen Klassenunterschieden. Sie für ihren Teil hatte dafür keinen Sinn. Nicht ein bisschen, nicht eine Spur... Jetzt kam das klack-klack von hölzernen Hämmern. Einer der Männer pfiff, ein anderer rief: «Klappt es, Kumpel?» Kumpel! Dieser freundliche Ton, dieser... dieser... Gerade um zu beweisen, wie froh sie war, gerade um dem Großen zu zeigen, wie wohl sie sich fühlte und wie sie dumme Konventionen verachtete, tat sie einen kräftigen Biss in ihr Butterbrot, während sie auf die kleine Zeichnung schaute. Sie fühlte sich ganz wie ein Arbeitermädchen.

«Laura, Laura, wo bist du? Telefon, Laura!» rief eine Stimme vom Haus her.

«Ich komme!» Weg flitzte sie, über den Rasen, den Weg hinauf, die Stufen hinauf, über die Veranda und in die Vorhalle. Dort bürsteten ihr Vater und Laurie gerade ihre Hüte, bereit ins Kontor zu gehen.

«Hör mal, Laura», sagte Laurie sehr schnell, «du könntest doch mal einen Blick auf meine Jacke werfen vor heute nachmittag. Sieh nach, ob sie ein Bügeleisen braucht.»

«Mach ich», sagte sie. Plötzlich konnte sie sich nicht mehr halten. Sie lief zu Laurie und drückte ihn schnell ein wenig. «Oh, ich *liebe* Feste, du nicht auch?» sagte sie atemlos.

«Na klar», sagte Lauries warme Jungenstimme, und er drückte seine Schwester auch und gab ihr einen kleinen Schubs. «Los, ans Telefon, Mädchen»

Das Telefon. «Ja, ja bitte. Kitty? Guten Morgen, Liebe. Zum Essen kommen? Tu das, Liebe. Entzückt natürlich. Es wird nur Zusammengekratztes geben – nur Brotkrusten und zerbrochene Baisers und was sonst noch übrig ist. Ja, ist es nicht ein einmaliger Morgen? Deinen weißen? Oh ich würde schon. Einen Augenblick – bleib am Apparat. Mutter ruft.» Und Laura lehnte sich zurück: «Was ist, Mutter, ich kann nicht verstehen.»

Mrs Sheridans Stimme kam von oben. «Sag, sie soll den süßen Hut aufsetzen, den sie letzten Sonntag aufhatte.»

"Mother says you're to wear that sweet hat you had on last Sunday. Good. One o'clock. Bye-bye."

Laura put back the receiver, flung her arms over her head, took a deep breath, stretched and let them fall. "Huh," she sighed, and the moment after the sigh she sat up quickly. She was still, listening. All the doors in the house seemed to be open. The house was alive with soft, quick steps and running voices. The green baize door that led to the kitchen regions swung open and shut with a muffled thud. And now there came a long, chuckling absurd sound. It was the heavy piano being moved on its stiff castors. But the air! If you stopped to notice, was the air always like this? Little faint winds were playing chase in at the tops of the windows, out at the doors. And there were two tiny spots of sun, one on the inkpot, one on a silver photograph frame, playing too. Darling little spots. Especially the one on the inkpot lid. It was quite warm. A warm little silver star. She could have kissed it.

The front door bell pealed, and there sounded the rustle of Sadie's print skirt on the stairs. A man's voice murmured; Sadie answered, careless, "I'm sure I don't know. Wait. I'll ask Mrs Sheridan."

"What is it, Sadie?" Laura came into the hall.

"It's the florist, Miss Laura."

It was, indeed. "There, just inside the door, stood a wide, shallow tray full of pots of pink lilies. No other kind. Nothing but lilies – canna lilies, big pink flowers, wide open, radiant, almost frighteningly alive on bright crimson stems.

"O-oh, Sadie!" said Laura, and the sound was like a little moan. She crouched down as if to warm herself at that blaze of lilies; she felt they were in her fingers, on her lips, growing in her breast.

"It's some mistake," she said faintly. "Nobody ever ordered so many. Sadie, go and find mother."

«Mutter sagt, du sollst den süßen Hut aufsetzen, den du letzten Sonntag aufhattest. Gut. Ein Uhr. Wiedersehn.»

Laura legte den Hörer auf, warf die Arme über den Kopf, atmete tief, reckte sich und ließ die Arme fallen. «Hach», seufzte sie, und gleich nach dem Seufzer richtete sie sich schnell auf. Sie war still, horchte. Alle Türen im Haus schienen offen zu sein. Das Haus war voller Leben durch die sachten, schnellen Schritte und bewegten Stimmen. Die grüne Friestüre, die zum Küchentrakt führte, schwang auf und schloss sich mit einem dumpfen Schlag. Und nun kam ein anhaltendes, sonderbar quietschendes Geräusch. Es war das schwere Klavier, das auf seinen harten Rollen bewegt wurde. Aber die Luft! Wenn man einmal darauf achtete, war die Luft dann immer so? Kleine schwache Winde spielten Fangen – hinein zu den Oberlichtern der Fenster, hinaus zu den Türen. Und da waren zwei winzige Sonnenflecke, einer auf dem Tintenfass, einer auf einem silbernen Fotorahmen, sie spielten auch. Liebe kleine Flecke. Besonders der eine auf dem Tintenfassdeckel. Er war ganz warm. Ein warmer kleiner Silberstern. Sie hätte ihn küssen mögen.

An der vorderen Tür schellte es, und von der Treppe kam das Rascheln von Sadies Kattunrock. Eine Männerstimme murmelte; Sadie antwortete leichthin: «Ich weiß gar nichts davon. Warten Sie, ich frage Mrs Sheridan.»

«Was ist los, Sadie?» Laura kam in die Vorhalle.

«Es ist jemand vom Blumengeschäft, Miss Laura.»

So war es in der Tat. Da, gerade in der Tür, stand eine große, flache Kiste, voll von Töpfen mit rosa Lilien. Nichts anderes. Nichts als Lilien – Canna-Lilien, große rosa Blüten, weit offen, strahlend, fast erschreckend lebendig auf glänzenden karminroten Stengeln.

«O-oh Sadie!» sagte Laura, und es klang wie ein kleines Stöhnen. Sie duckte sich, als wollte sie sich an dem Lodern der Lilien wärmen; sie fühlte sie in ihren Fingern, auf ihren Lippen, in ihrer Brust wachsen.

«Es ist ein Irrtum», sagte sie schwach. «Niemand kann so viele bestellt haben. Sadie, sieh zu, ob du Mutter findest.»

But at that moment Mrs Sheridan joined them.

"It's quite right," she said calmly. "Yes, I ordered them. Aren't they lovely?" She pressed Laura's arm. "I was passing the shop yesterday, and I saw them in the window. And I suddenly thought for once in my life I shall have enough canna lilies. The garden party will be a good excuse."

"But I thought you said you didn't mean to interfere," said Laura. Sadie had gone. The florist's man was still outside at his van. She put her arm round her mother's neck and gently, very gently, she bit her mother's ear.

"My darling child, you wouldn't like a logical mother, would you? Don't do that. Here's the man."

He carried more lilies still, another whole tray.

"Bank them up, just inside the door, on both sides of the porch, please," said Mrs Sheridan; "Don't you agree, Laura?"

"Oh, I *do*, mother."

In the drawing-room Meg, Jose and good little Hans had at last succeeded in moving the piano.

"Now, if we put this chesterfield against the wall and move everything out of the room except the chairs, don't you think?"

"Quite."

"Hans, move these tables into the smoking-room, and bring a sweeper to take these marks off the carpet and – one moment, Hans –" Jose loved giving orders to the servants, and they loved obeying her. She always made them feel they were taking part in some drama. Tell mother and Miss Laura to come here at once."

"Very good, Miss Jose."

She turned to Meg. "I want to hear what the piano sounds like, just in case I'm asked to sing this afternoon, Let's try over 'This life is Weary.'"

Pom! Ta-ta-ta *Tee*-ta ! The piano burst out so pas-

Aber in diesem Augenblick trat Mrs Sheridan zu ihnen.

«Es stimmt schon», sagte sie ruhig. «Ja, ich habe sie bestellt. Sind sie nicht entzückend?» Sie drückte Lauras Arm. «Ich bin gestern an dem Laden vorbeigegangen und habe sie im Fenster gesehen. Ich dachte plötzlich, einmal im Leben möchte ich genug Canna-Lilien haben. Das Gartenfest ist ein guter Vorwand.»

«Ich dachte, du hättest gesagt, du wolltest dich nicht einmischen», sagte Laura. Sadie war weggegangen. Der Bote vom Blumengeschäft war noch draußen bei seinem Wagen. Sie legte den Arm um den Nacken ihrer Mutter und sachte, ganz sachte biss sie sie ins Ohr.

«Kind, mein Liebling, du würdest doch keine logische Mutter mögen, nicht wahr? Lass das, da ist der Mann.»

Er brachte noch mehr Lilien, nochmal eine ganze Kiste.

«Stellen Sie sie hier auf, gleich hier nach der Tür, an beiden Seiten der Vorhalle, bitte. Meinst du nicht auch, Laura?»

«Oh ja, Mutter.»

Im Salon war es Meg, Jose und dem guten kleinen Hans schließlich gelungen, den Flügel zu verrücken.

«Wenn wir nun das Sofa an die Wand schieben und alles aus dem Zimmer räumen außer den Stühlen – was meint ihr?»

«Richtig!»

«Hans, bring diese Tische ins Rauchzimmer und hol den Handfeger, um die Stellen auf dem Teppich wegzumachen und – einen Augenblick, Hans...» Jose erteilte den Dienstboten gern Befehle, und sie gehorchten ihr gern. Sie gab ihnen immer das Gefühl, bei einem Theaterstück mitzuwirken. «Sag Mutter und Miss Laura, sie möchten sofort herkommen.»

«Sehr wohl, Miss Jose.»

Sie wandte sich Meg zu. «Ich will hören, wie das Klavier klingt, nur für den Fall, dass mich we zum Singen auffordert heute nachmittag. Probier mal ‹Das Leben ist schwer›.»

Pom! Ta-ta-ta- Tii-ta! Das Klavier setzte mit so leiden-

sionately that Jose's face changed. She clasped her hands. She looked mournfully and enigmatically at her mother and Laura as they came in.

> *This Life is Wee*-ary,
> A Tear – a Sigh
> A Love that *Chan*-ges,
> This Life is *Wee*-ary,
> A Tear – a Sigh.
> A Love that *Chan*-ges,
> And then... Goodbye!

But at the word "Goodbye," and although the piano sounded more desperate than ever, her face broke into a brilliant, dreadfully unsympathetic smile.

"Aren't I in good voice, mummy?" she beamed.

> This Life is *Wee*-ary,
> Hope comes to Die.
> A Dream – a *Wa*-kening.

But now Sadie interrupted them. "What is it, Sadie?"

"If you please, m'm, cook says have you got the flags for the sand wiches?"

"The flags for the sandwiches, Sadie?" echoed Mrs Sheridan dreamily. And the children knew by her face that she hadn't got them. "Let me see." And she said to Sadie firmly, "Tell cook I'll let her have them in ten minutes."

Sadie went.

"Now, Laura," said her mother quickly, "come with me into the smoking room. I've got the names somewhere on the back of an envelope. You'll have to write them out for me. Meg, go upstairs, this minute and take that wet thing off your head. Jose, run and finish dressing this instant. Do you hear me, children, or shall I have to tell your father when he comes home tonight? And – and, Jose,

schaftlichen Klängen ein, dass sich Joses Gesicht veränderte. Sie faltete die Hände. Sie blickte traurig und rätselhaft auf ihre Mutter und Laura, als sie hereinkamen.

> Dies Leben ist schwe-er
> Eine Träne – ein Seufzer.
> Treulose Lie-iebe
> Dies Leben ist schwe-er
> Eine Träne – ein Seufzer
> Treulose Lie-iebe
> Und dann – ade!

Aber bei dem Wort «ade», und obwohl das Klavier verzweiflungsvoller klang als je, erschien auf ihrem Gesicht ein fröhliches, schrecklich herzloses Lächeln.
«Bin ich nicht gut bei Stimme, Mammi?» strahlte sie.

> Dies Leben ist schwe-er
> Hoffnung erstirbt.
> Ein Traum – ein Erwa-achen.

Aber nun wurden sie von Sadie unterbrochen. «Was ist los, Sadie?»
«Bitte Madam – die Köchin fragt, ob Sie die Fähnchen für die belegten Brote haben?»
«Die Fähnchen für die Brote, Sadie?» gab Mrs Sheridan verträumt zurück. Und die Kinder sahen an ihrem Gesicht, dass sie sie nicht hatte. «Mal nachdenken.» Zu Sadie sagte sie fest: «Sag der Köchin, in zehn Minuten wird sie sie haben.»
Sadie ging.
«Du, Laura», sagte ihre Mutter schnell, «komm mit mir ins Rauchzimmer. Ich hab da die Namen irgendwo auf der Rückseite eines Briefumschlages. Du musst sie für mich schreiben. Meg, geh auf der Stelle hinauf und nimm das nasse Ding vom Kopf. Jose, los, zieh dich augenblicklich fertig an. Hört ihr wohl, Kinder, oder muss ich dem Vater was erzählen, wenn er heute abend heimkommt? Und noch etwas, Jose, rede der Köchin gut zu, wenn du

pacify cook if you do go into the kitchen, will you? I'm terrified of her this morning."

The envelope was found at last behind the dining-room clock, though how it had got there Mrs Sheridan could not imagine.

"One of you children must have stolen it out of my bag, because I remember vividly – cream-cheese and lemon-curd. Have you done that?"

"Yes."

"Egg and –" Mrs Sheridan held the envelope away from her. "It looks like mice. It can't be mice, can it?"

"Olive, pet," said Laura, looking over her shoulder.

"Yes, of course, Olive. What a horrible combination it sounds. Egg and olive."

They were finished at last, and Laura took them off to the kitchen. She found Jose there pacifying the cook, who did not look at all terrifying.

"I have never seen such exquisite sandwiches," said Jose's rapturous voice. "How many kinds did you say there were, cook? Fifteen?"

"Fifteen, Miss Jose."

"Well, cook, I congratulate you."

Cook swept up crusts with the long sandwich knife, and smiled broadly.

"Godber's has come," announced Sadie, issuing out of the pantry. She had seen the man pass the window.

That meant the cream puffs had come. Godber's were famous for their cream puffs. Nobody ever thought of making them at home.

"Bring them in and put them on the table, my girl," ordered cook.

Sadie brought them in and went back to the door. Of course Laura and Jose were far too grown-up to really care about such things. All the same, they

in die Küche kommst, ja? Ich habe heute morgen richtig Angst vor ihr.»

Der Briefumschlag fand sich schließlich hinter der Esszimmeruhr; Mrs Sheridan konnte sich nicht vorstellen, wie er dahin geraten war.

«Eins von euch Kindern muss ihn mir aus der Tasche gestohlen haben, denn ich erinnere mich lebhaft – Rahmkäse und Zitronencreme. Hast du das?»

«Ja.»

«Ei und...» Mrs Sheridan hielt den Umschlag von sich weg. «Es sieht aus wie Mäuse. Aber Mäuse kann es doch nicht heißen, oder?»

«Oliven, Liebes», sagte Laura, die ihr über die Schulter sah.

«Ja, natürlich, Oliven. Was für eine schauderhafte Zusammenstellung! Ei und Oliven.»

Endlich waren die Fähnchen fertig, und Laura brachte sie in die Küche. Dort hörte sie, wie Jose der Köchin gut zuredete, die aber gar nicht so furchterregend aussah.

«Ich habe noch nie so erlesene Brote gesehen», sagte Jose entzückt. «Wieviele Sorten, sagst du, sind es, Küchenfee? Fünfzehn?»

«Fünfzehn, Miss Jose.»

«Fein, da gratuliere ich.»

Die Köchin schob die Brotrinden mit dem langen Brotmesser zusammen und lächelte breit.

«Godber ist da», verkündete Sadie, die aus der Speisekammer kam. Sie hatte den Mann am Fenster vorbeigehen sehen.

Das hieß, die Windbeutel waren gekommen. Godber war berühmt für seine Windbeutel. Niemand dachte je daran, selber welche zu machen.

«Bring sie herein und stell sie auf den Tisch, mein Kind», befahl die Köchin.

Sadie brachte sie und ging wieder zur Tür. Natürlich waren Laura und Jose viel zu erwachsen, um sich für solche Sachen wirklich zu interessieren. Aber sie mussten doch

couldn't help agreeing that the puffs looked very attractive. Very. Cook began arranging them, shaking off the extra icing sugar.

"Don't they carry one back to all one's parties?" said Laura.

"I suppose they do," said practical Jose, who never liked to be carried back. "They look beautifully light and feathery, I must say."

"Have one each, my dears," said cook in her comfortable voice. "Yer ma won't know."

Oh, impossible. Fancy cream puffs so soon after breakfast. The very idea made one shudder. All the same, two minutes later Jose and Laura were licking their fingers with that absorbed inward look that only comes from whipped cream.

"Let's go into the garden, out by the back way," suggested Laura. "I want to see how the men are getting on with the marquee. They're such awfully nice men."

But the back door was blocked by cook, Sadie, Godber's man and Hans.

Something had happened.

"Tuk-tuk-tuk," clucked cook like an agitated hen. Sadie had her hand clapped to her cheek as though she had toothache. Hans's face was screwed up in the effort to understand. Only Godber's man seemed to be enjoying himself; it was his story.

"What's the matter? What's happened?"

"There's been a horrible accident," said cook. "A man killed."

"A man killed? Where? How? When?"

But Godber's man wasn't going to have his story snatched from under his very nose.

"Know those little cottages just below here, miss?" Know them? Of course, she knew them. "Well, there's a young chap living there, name of Scott, a carter. His horse shied at a traction-engine,

wohl oder übel zugeben, dass die Windbeutel sehr verlockend aussahen. Sehr. Die Köchin legte sie nett zurecht, wobei sie den überflüssigen Puderzucker abschüttelte.

«Versetzen sie einen nicht auf alle unsere früheren Feste zurück?» fragte Laura.

«Ich denke, ja», sagte Jose sachlich, sie ließ sich nie gern zurückversetzen. «Ich muss sagen, sie sehen schön leicht und flaumig aus.»

«Nehmt jeder einen, ihr Lieben», sagte die Köchin mit ihrer gemütlichen Stimme. «Die Mutter merkt's nicht.»

Oh, unmöglich. Windbeutel gleich nach dem Frühstück, nicht auszudenken! Die bloße Idee lässt einen schaudern. Gleichwohl leckten sich Jose und Laura zwei Minuten später die Finger mit dem gesammelten, nach innen gerichteten Blick, der nur von Schlagsahne kommt.

«Gehn wir in den Garten, zum Hintereingang hinaus», schlug Laura vor. «Ich möchte sehen, wie die Männer mit dem Zelt vorankommen. Es sind so schrecklich nette Männer.»

Aber die Hintertür war verstellt durch die Köchin, Sadie, den Mann von Godber und Hans.

Irgendetwas war passiert.

«Ogottogottogott», gluckste die Köchin wie eine aufgeregte Henne. Sadie drückte die Hand an die Wange als hätte sie Zahnweh. Hans machte ein verkniffenes Gesicht und bemühte sich, etwas zu verstehen. Nur der Godber-Mann schien die Sache zu genießen; es war seine Geschichte.

«Was ist los? Was ist passiert?»

«Ein entsetzlicher Unfall», sagte die Köchin. «Ein Mann ist ums Leben gekommen.»

«Ein Mann ums Leben gekommen! Wo? Wie? Wann?»

Aber der Godber-Mann ließ sich seine Geschichte nicht einfach so vor der Nase wegschnappen.

«Kennen Sie die kleinen Häuser, da unten, Miss?» Ob sie die kannte? Natürlich kannte sie die. «Also, ein junger Kerl, der da wohnt, Scott heißt er, ein Fuhrmann. Sein Gaul scheute vor einem Traktor, heute früh, Ecke Hawke

corner of Hawke Street this morning, and he was thrown out on the back of his head. Killed."

"Dead!" Laura stared at Godber's man.

"Dead when they picked him up," said Godber's man with relish. "They were taking the body home as I come up here." And he said to the cook, "He's left a wife and five little ones."

"Jose, come here." Laura caught hold of her sister's sleeve and dragged her through the kitchen to the other side of the green door. There she paused and leaned against it. "Jose!" she said, horrified, "however are we going to stop everything?"

"Stop everything, Laura!" cried Jose in astonishment. "What do you mean?"

"Stop the garden party, of course." Why did Jose pretend?

But Jose was still more amazed. "Stop the garden party? My dear Laura, don't be so absurd. Of course we can't do anything of the kind. Nobody expects us to. Don't be so extravagant."

"But we can't possibly have a garden party with a man dead just outside the front gate."

That really was extravagant, for the little cottages were in a lane to themselves at the very bottom of a steep rise that led up to the house. A broad road ran between. True, they were far too near. They were the greatest possible eyesore, and they had no right to be in that neighbourhood at all. They were little mean dwellings painted a chocolate brown. In the garden patches there was nothing but cabbage stalks, sick hens and tomato cans. The very smoke coming out of their chimneys was poverty-stricken. Little rags and shreds of smoke, so unlike the great silvery plumes that uncurled from the Sheridans' chimneys. Washer women lived in the lane and sweeps and a cobbler, and a man whose house-front was studded all over with minute birdcages. Chil-

Street, und er wurde hinausgeschleudert auf den Hinter-kopf. Tot.»

«Tot!» Laura starrte auf den Godber-Mann.

«Tot, als sie ihn aufhoben», sagte der Godber-Mann mit Behagen. «Sie brachten die Leiche heim, als ich hierher kam.» Zur Köchin sagte er: «Er hinterlässt eine Frau und fünf Kinder.»

«Jose, komm mit.» Laura fasste nach dem Ärmel ihrer Schwester und zog sie durch die Küche auf die andere Seite der grünen Friestür. Dort blieb sie stehen und lehnte sich dagegen. «Jose», sagte sie entsetzt, «wie sollen wir es bloß machen, alles abzublasen?»

«Alles abblasen, Laura!» rief Jose erstaunt. «Was meinst du?»

«Das Gartenfest natürlich.» Warum tat Jose so begriffs-stutzig?

Aber Jose war nur noch mehr erstaunt. «Das Gartenfest abblasen? Meine liebe Laura, sei nicht so komisch. So et-was können wir natürlich nicht machen. Niemand erwartet es von uns. Sei nicht so überspannt.»

«Aber wir können doch unmöglich ein Gartenfest ma-chen, mit einem toten Mann gerade vor dem Gartentor.»

Das war wirklich überspannt, denn die kleinen Häuser standen für sich in einer Gasse am untersten Ende eines steilen Weges, der zum Haus führte. Eine breite Straße lief dazwischen. Freilich, sie waren viel zu nah. Sie waren die denkbar größte Beleidigung für das Auge und hatten eigent-lich gar kein Recht, in dieser Nachbarschaft zu sein. Es waren kleine, armselige Wohnstätten, schokoladenbraun gestrichen. In den Gartenfleckchen war nichts außer Kohl-strünken, kranken Hühnern und Tomatendosen. Schon der Rauch, der aus ihren Kaminen kam, zeugte von Armut. Kleine abgerissene Rauchfetzen, so unähnlich den großen, silbernen Federwolken, die sich aus den Sheridanschen Kaminen hervorkräuselten. Waschfrauen wohnten in der Gasse und Straßenkehrer und ein Flickschuster – und ein Mann, dessen Hausfront ganz und gar bedeckt war mit win-

dren swarmed. When the Sheridans were little they were forbidden to set foot there because of the revolting language and of what they might catch. But since they were grown up, Laura and Laurie on their prowls some times walked through. It was disgusting and sordid. They came out with a shudder. But still one must go everywhere; one must see everything. So through they went.

"And just think of what the band would sound like to that poor woman," said Laura.

"Oh, Laura!" Jose began to be seriously annoyed. "If you're going to stop a band playing every time someone has an accident, you'll lead a very strenuous life. I'm every bit as sorry about it as you. I feel just as sympathetic." Her eyes hardened. She looked at her sister just as she used to when they were little and fighting together. "You won't bring a drunken workman back to life by being sentimental," she said softly.

"Drunk! Who said he was drunk?" Laura turned furiously on Jose. She said just as they had used to say on those occasions, "I'm going straight up to tell mother."

"Do, dear," cooed Jose.

"Mother, can I come into your room?" Laura turned the big glass doorknob.

"Of course, child. Why, what's the matter? What's given you such a colour?" And Mrs Sheridan turned round from her dressing-table. She was trying on a new hat.

"Mother, a man's been killed," began Laura.

"*Not* in the garden?" interrupted her mother.

"No, no!"

"Oh, what a fright you gave me!" Mrs Sheridan sighed with relief, and took off the big hat and held it on her knees.

"But listen, mother," said Laura. Breathless, half-

zigen Vogelkäfigen. Es wimmelte von Kindern. Als die Sheridans klein waren, durften sie dort nicht hingehen wegen der abstoßenden Sprache und wegen möglicher Ansteckungen. Aber seit sie erwachsen waren, kamen Laura und Laurie auf ihren Streifzügen manchmal dort vorbei. Es war widerwärtig und gemein. Sie kamen mit Schaudern wieder heraus. Aber man muss doch überall hingehen, man muss doch alles sehen. So gingen sie eben dort durch.

«Und stell dir nur vor, wie die Kapelle der armen Frau wohl in den Ohren klingt», sagte Laura.

«Oh Laura!» Jose wurde ernsthaft ärgerlich. «Wenn du eine Kapelle jedesmal am Spielen hindern willst, wenn jemand einen Unfall hat, wirst du ein anstrengendes Leben führen. Es tut mir genau so leid wie dir. Ich habe auch ein Mitgefühl.» Ihre Augen wurden hart. Sie sah ihre Schwester an, wie sie sie immer angesehen hatte, wenn sie als kleine Kinder miteinander stritten. «Du kannst einen betrunkenen Arbeiter mit aller Sentimentalität nicht mehr lebendig machen», sagte sie ruhig.

«Betrunken! Wer sagt denn, dass er betrunken war?» Laura stellte sich wütend vor Jose hin. Sie sagte, wie oft bei solchen Gelegenheiten: «Ich gehe sofort und sage es Mutter.»

«Tu das, Liebe», säuselte Jose.

«Mutter, kann ich in dein Zimmer kommen?» Laura drehte den großen gläsernen Türknopf.

«Natürlich, Kind. Nun, was ist los? Warum bist du so rot im Gesicht?» Mrs Sheridan wandte sich von ihrem Frisiertisch um. Sie probierte gerade einen neuen Hut auf.

«Mutter, ein Mann ist ums Leben gekommen», begann Laura.

«Doch nicht hier im Garten?» unterbrach ihre Mutter.

«Nein, das nicht!»

«Oh wie hast du mich erschreckt!» Mrs Sheridan seufzte vor Erleichterung, nahm den großen Hut ab und hielt ihn auf den Knien.

«Aber hör doch nur, Mutter», sagte Laura. Atemlos, mit

choking, she told the dreadful story. "Of course, we can't have our party, can we?" she pleaded. "The band and everybody arriving. They'd hear us, mother; they're nearly neighbours!"

To Laura's astonishment her mother behaved just like Jose; it was harder to bear because she seemed amused. She refused to take Laura seriously.

"But, my dear child, use your common sense. It's only by accident we've heard of it. If someone had died there normally – and I can't understand how they keep alive in those poky little holes – we should still be having our party, shouldn't we?"

Laura had to say "yes" to that, but she felt it was all wrong. She sat down on her mother's sofa and pinched the cushion frill.

"Mother, isn't it really terribly heartless of us?" she asked.

"Darling!" Mrs Sheridan got up and came over to her, carrying the hat. Before Laura could stop her she had popped it on. "My child!" said her mother, "the hat is yours. It's made for you. It's much too young for me. I have never seen you look such a picture. Look at yourself!" And she held up her hand-mirror.

"But, mother," Laura began again. She couldn't look at herself; she turned aside.

This time Mrs Sheridan lost patience just as Jose had done.

"You are being very absurd, Laura," she said coldly. "People like that don't expect sacrifices from us. And it's not very sympathetic to spoil everybody's enjoyment as you're doing now."

"I don't understand," said Laura, and she walked quickly out of the room into her own bedroom. There, quite by chance, the first thing she saw was this charming girl in the mirror, in her black hat trimmed with gold daisies, and a long black velvet

halberstickter Stimme erzählte sie die furchtbare Geschichte. «Da können wir doch unser Fest nicht feiern, oder?» sagte sie dringlich. «Die Kapelle, und wenn sie alle kommen. Sie würden uns hören, Mutter, es sind fast Nachbarn!»

Zu Lauras Erstaunen betrug sich die Mutter genau wie Jose; es war nur noch schwerer zu ertragen, weil sie belustigt schien. Sie weigerte sich, Laura ernstzunehmen. «Liebes Kind, gebrauche deinen gesunden Menschenverstand. Es ist nur ein Zufall, dass wir davon gehört haben. Wenn jemand dort normal gestorben wäre – ich kann nicht verstehen, wie man überhaupt leben kann in den elenden Löchern –, wir dürften doch unser Fest feiern, nicht wahr?»

Laura musste «ja» zu allem sagen, aber sie fühlte, es war alles verkehrt. Sie setzte sich auf das Sofa ihrer Mutter und kniff Falten in die Kissenrüschen.

«Mutter, ist es nicht furchtbar herzlos von uns?» fragte sie.

«Liebling!» Mrs Sheridan stand auf und kam herüber zu ihr, den Hut in der Hand. Bevor Laura sie abhalten konnte, hatte sie ihn ihr schnell aufgesetzt. «Mein Kind», sagte ihre Mutter, «der Hut gehört dir. Er ist für dich gemacht. Für mich ist er viel zu jugendlich. Ich habe dich noch nie so bildhübsch gesehen. Schau dich an!» Und sie hielt ihr den Handspiegel vor.

«Aber Mutter», begann Laura noch einmal. Sie konnte sich nicht anschauen, sie drehte sich weg.

Jetzt verlor Mrs Sheridan die Geduld, genau wie vorher Jose.

«Du bist wirklich albern», sagte sie kalt. «Solche Leute erwarten keine Opfer von uns. Und es ist nicht sehr nett von dir, allen den Spaß zu verderben, wie du es gerade machst.»

«Das verstehe ich nicht», sagte Laura und ging schnell hinaus und in ihr eigenes Schlafzimmer. Dort, ganz zufällig, war das erste, was sie sah, dieses bezaubernde Mädchen im Spiegel mit seinem schwarzen Hut, der mit goldenen Maßliebchen und einem langen schwarzen Samtband auf-

ribbon. Never had she imagined she could look like that. Is mother right? she thought. And now she hoped her mother was right. Am I being extravagant? Perhaps it was extravagant. Just for a moment she had another glimpse of that poor woman and those little children, and the body being carried into the house. But it all seemed blurred, unreal, like a picture in the newspaper. I'll remember it again after the party's over, she decided. And somehow that seemed quite the best plan...

Lunch was over by half-past one. By half-past two they were all ready for the fray. The green-coated band had arrived and was established in a corner of the tennis-court.

"My dear!" trilled Kitty Maitland, "aren't they too like frogs for words? You ought to have arranged them round the pond with the conductor in the middle on a leaf."

Laurie arrived and hailed them on his way to dress. At the sight of him Laura remembered the accident again. She wanted to tell him. If Laurie agreed with the others, then it was bound to be all right. And she followed him into the hall.

"Laurie!"

"Hallo!" He was half-way upstairs, but when he turned round and saw Laura he suddenly puffed out his cheeks and goggled his eyes at her. "My word, Laura! You do look stunning," said Laurie. "What an absolutely topping hat!"

Laura said faintly "Is it?" and smiled up at Laurie, and didn't tell him after all.

Soon after that people began coming in streams. The band struck up; the hired waiters ran from the house to the marquee. Wherever you looked there were couples strolling, bending to the flowers, greeting, moving on over the lawn. They were like bright birds that had alighted in the Sheridans'

geputzt war. Nie hätte sie für möglich gehalten, dass sie so aussehen könnte. Hat Mutter recht? dachte sie. Sie *hoffte,* dass ihre Mutter recht hatte. Bin ich überspannt? Vielleicht war es überspannt. Nur einen Augenblick dachte sie noch einmal flüchtig an die arme Frau und die kleinen Kinder und die Leiche, die in das Haus gebracht wurde. Aber es erschien alles verschwommen, unwirklich, wie ein Bild aus der Zeitung. Ich denke wieder daran, wenn das Fest vorbei ist, beschloss sie. Irgendwie schien ihr das der beste Plan zu sein...

Das Essen war um halb zwei vorüber. Um halb drei waren alle einsatzbereit. Die grünberockten Musiker waren angekommen und hatten sich in einer Ecke des Tennisplatzes eingerichtet.

«Meine Güte», quiekte Kitty Maitland, «sehen sie nicht buchstäblich wie Frösche aus? Ihr hättet sie um den Teich herum aufstellen sollen mit dem Dirigenten in der Mitte auf einem Blatt.»

Laurie kam heim, ging, sich umzuziehen und grüßte herüber. Bei seinem Anblick erinnerte sich Laura wieder an den Unfall. Sie wollte es ihm erzählen. Wenn Laurie wie die anderen dachte, dann musste ja wohl alles in Ordnung sein. Sie folgte ihm in die Vorhalle.

«Laurie?»

«Hallo!» Er war schon auf dem Treppenabsatz, aber als er sich umdrehte und Laura sah, blies er gleich die Backen auf und starrte sie mit aufgerissenen Augen an. «Ehrlich, Laura! Du siehst fabelhaft aus», sagte Laurie. «Der Hut ist ganz große Klasse.»

Laura sagte schwach «Findest du?» und lächelte hinauf zu Laurie und erzählte ihm am Ende doch nichts.

Bald darauf begannen die Leute in Scharen einzutreffen. Die Kapelle begann zu spielen; die Lohnkellner liefen vom Haus zum Zelt. Wohin man auch sah, schlenderten Paare, beugten sich zu den Blumen; grüßten, gingen weiter über den Rasen. Lauter prächtige Vögel, die sich im Garten der Sheridans niedergelassen hatten für diesen Nachmittag,

garden for this one afternoon, on their way to –
where? Ah, what happiness it is to be with people
who all are happy, to press hands, press cheeks,
smile into eyes.

"Darling Laura, how well you look!"

"What a becoming hat, child!"

"Laura, you look quite Spanish. I've never seen
you look so striking."

And Laura, glowing, answered softly, "Have
you had tea? Won't you have an ice? The passion-
fruit ices really are rather special." She ran to her
father and begged him. "Daddy darling, can't the
band have something to drink?"

And the perfect afternoon slowly ripened, slowly
faded, slowly its petals closed.

"Never a more delightful garden party..." "The
greatest success..." "Quite the most..."

Laura helped her mother with the goodbyes. They
stood side by side in the porch till it was all over.

"All over, all over, thank heaven," said Mrs
Sheridan. "Round up the others, Laura. Let's go
and have some fresh coffee. I'm exhausted. Yes, it's
been very successful. But oh, these parties, these
parties! Why will you children insist on giving
parties!" And they all of them sat down in the de-
serted marquee.

"Have a sandwich, daddy dear. I wrote the flag."

"Thanks." Mr Sheridan took a bite and the sandwich was gone. He took another. "I suppose you
didn't hear of a beastly accident that happened today?" he said.

"My dear," said Mrs Sheridan, holding up her
hand, "we did. It nearly ruined the party. Laura
insisted we should put it off."

"Oh, mother!" Laura didn't want to be teased
about it.

"It was a horrible affair all the same," said Mr

auf ihrem Weg nach – wohin? Ach wie gut tut es, unter
Leuten zu sein, die alle glücklich sind, Hände zu drücken,
Wangen aneinanderzulegen, sich lächelnd in die Augen zu
sehen.

«Laura, Liebling, wie gut du aussiehst!»

«Was für ein kleidsamer Hut, Kind!»

«Laura, du siehst ganz spanisch aus. Du hast noch nie so
blendend ausgesehen!»

Laura glühte und erwiderte leise: «Hast du schon Tee
gehabt? Möchtest du kein Eis? Das Marakuja-Eis ist wirklich was ganz Besonderes.» Sie lief zu ihrem Vater und
bettelte, «Liebster Papa – können die Musiker bitte was
zu trinken kriegen?»

Und der vollkommene Nachmittag reifte langsam, welk-
te langsam, und langsam schlossen sich die Blüten.

«Nie ein entzückenderes Gartenfest...» «Der größte
Erfolg...» «Wirklich der aller...»

Laura half ihrer Mutter beim Verabschieden. Sie standen
Seite an Seite, in der Vorhalle, bis alles vorüber war.

«Vorbei, alles vorbei, Gott sei Dank», sagte Mrs Sheridan. «Hol die anderen zusammen, Laura. Lass uns noch
frischen Kaffee holen. Ich bin erschöpft. Ja, es ist sehr gut
gelungen. Aber – ach diese Feste, diese Feste! Warum seid
ihr Kinder nur so versessen darauf?» Und sie setzten sich
alle zusammen in das verlassene Zelt.

«Nimm ein Brötchen, Papa, Lieber. Die Fähnchen hab
ich geschrieben.»

«Danke.» Mr Sheridan nahm einen Mundvoll und das
Sandwich war weg. Er holte sich noch eins. «Ich vermute,
ihr habt gar nichts von dem scheußlichen Unfall gehört,
der heute passiert ist?» sagte er.

«Mein Lieber», sagte Mrs Sheridan und hob die Hand,
«doch, wir haben. Er hätte uns beinahe das Fest verdorben.
Laura wollte unbedingt, dass wir es absagen.»

«Oh Mutter!» Laura wollte nicht damit aufgezogen werden.

«Es war schon eine entsetzliche Sache», sagte Mr Sheri-

Sheridan. "The chap was married too. Lived just below in the lane, and leaves a wife and half a dozen
kiddies, so they say."

An awkward little silence fell. Mrs Sheridan
fidgeted with her cup. Really, it was very tactless
of father...

Suddenly she looked up. There on the table were
all those sandwiches, cakes, puffs, all uneaten, all
going to be wasted. She had one of her brilliant
ideas.

"I know," she said. "Let's make up a basket. Let's
send that poor creature some of this perfectly good
food. At any rate, it will be the greatest treat for the
children. Don't you agree? And she's sure to have
neighbours calling in and so on. What a point to
have it all ready prepared. Laura!" She jumped up.
"Get me the big basket out of the stairs cupboard."

"But, mother, do you really think it's a good
idea?" said Laura.

Again, how curious, she seemed to be different
from them all. To take scraps from their party.
Would the poor woman really like that?

"Of course! What's the matter with you today?
An hour or two ago you were insisting on us being
sympathetic, and now –"

Oh well! Laura ran for the basket. It was filled,
it was heaped by her mother.

"Take it yourself, darling," said she. "Run down
just as you are. No, wait, take the arum lilies too.
People of that class are so impressed by arum
lilies."

"The stems will ruin her lace frock," said practical Jose.

So they would. Just in time. "Only the basket,
then. And, Laura!" – her mother followed her out
of the marquee – "don't on any account –"

"What mother?"

dan. «Der junge Mann war noch dazu verheiratet. Wohnte grade dort unten in der Gasse und hinterlässt eine Frau und ein halbes Dutzend Kinder, sagt man.»

Es entstand ein peinliches kurzes Schweigen. Mrs Sheridan fingerte nervös an ihrer Tasse. Das war schon sehr taktlos von Vater...

Plötzlich sah sie auf. Da auf dem Tisch waren alle diese Brote, Kuchen, Windbeutel, alles ungegessen, vieles würde verderben. Sie hatte eine ihrer glänzenden Ideen.

«Ich weiß was», sagte sie. «Wir wollen einen Korb zurechtmachen. Wir wollen dem armen Geschöpf etwas von diesem tadellosen Essen schicken. Jedenfalls für die Kinder wird es das größte Vergnügen sein. Meint ihr nicht? Und sicher hat sie Nachbarn da, die Besuch machen und so. Wie gut das passt, dass alles schon fertig gerichtet ist. Laura!» Sie sprang auf. «Hol mir den großen Korb aus dem Treppenschrank.»

«Aber Mutter, findest du das wirklich eine gute Idee?» fragte Laura.

Komisch, schon wieder schien sie anders als alle anderen zu sein. Die Überbleibsel von ihrem Fest – würde die arme Frau das wirklich mögen?

«Selbstverständlich! Was ist denn heute mit dir los? Vor ein paar Stunden hast du Mitgefühl von uns verlangt, und jetzt...»

Na gut! Laura lief nach dem Korb. Ihre Mutter füllte ihn, machte ihn übervoll.

«Bring es selber hin, Schätzchen», sagte sie. «Lauf hinunter, gerade so wie du bist. Nein warte. Nimm noch die Arum-Lilien mit. Arum-Lilien machen Eindruck auf solche Leute.»

«Die Stengel werden ihr Spitzenkleid ruinieren», sagte die praktische Jose.

Das würden sie. Der Rat kam gerade rechtzeitig. «Also dann nur den Korb. Und Laura!» – ihre Mutter kam mit ihr aus dem Zelt, – «dass du auf keinen Fall...»

«Was, Mutter?»

No, better not put such ideas into the child's
head! "Nothing! Run along."

It was just growing dusky as Laura shut their
garden gates. A big dog ran by like a shadow. The
road gleamed white, and down below in the hollow
the little cottages were in deep shade. How quiet
it seemed after the afternoon. Here she was going
down the hill to somewhere where a man lay dead,
and she couldn't realize it. Why couldn't she?
She stopped a minute. And it seemed to her that
kisses, voices, tinkling spoons, laughter, the smell
of crushed grass were somehow inside her. She
had no room for anything else. How strange! She
looked up at the pale sky, and all she thought was,
"Yes, it was the most successful party."

Now the broad road was crossed. The lane began, smoky and dark. Women in shawls and men's
tweed caps hurried by. Men hung over the pal-
ings; the children played in the doorways. A low
hum came from the mean little cottages. In some
of them there was a flicker of light, and a shadow,
crab-like, moved across the window. Laura bent her
head and hurried on. She wished now she had put
on a coat. How her frock shone! And the big hat
with the velvet streamer – if only it was another
hat! Were the people looking at her? They must be.
It was a mistake to have come; she knew all along
it was a mistake. Should she go back even now?

No, too late. This was the house. It must be. A
dark knot of people stood outside. Beside the gate
an old, old woman with a crutch sat in a chair,
watching. She had her feet on a newspaper. The
voices stopped as Laura drew near. The group parted. It was as though she was expected, as though
they had known she was coming here.

Laura was terribly nervous. Tossing the velvet
ribbon over her shoulder, she said to a woman

Nein. Lieber solche Gedanken dem Kind gar nicht erst in den Kopf setzen! «Nichts! Lauf zu.»

Es fing schon an zu dämmern, als Laura das Gartentor schloss. Ein großer Hund lief vorbei wie ein Schatten. Die Straße schimmerte weiß, und drunten in der Senke lagen die kleinen Häuser in tiefem Dunkel. Wie ruhig kam ihr das nach diesem Nachmittag vor. Nun ging sie den Hügel hinunter, dorthin, wo ein Mann tot dalag, und sie konnte es nicht begreifen. Warum nicht? Sie blieb eine Minute stehen. Ihr schien, als seien die Küsse, Stimmen, klappernden Löffel, das Gelächter und der Geruch von zertretenem Gras irgendwie in ihr. Sie hatte keinen Raum für irgend etwas anderes. Wie merkwürdig! Sie blickte hinauf zu dem blassen Himmel, und alles, was sie dachte, war: «Ja, es war ein höchst gelungenes Fest.»

Nun war die Straße überquert. Die Gasse begann, rauchig und dunkel. Frauen in Tüchern und mit wollenen Männer- mützen eilten vorbei. Männer lehnten sich über die Latten- zäune, Kinder spielten in den Eingängen. Ein leises Gesumm kam aus den armseligen kleinen Behausungen. In einigen von ihnen flackerte Licht, und Schatten bewegten sich wie Krebse an den Fenstern vorbei. Laura senkte den Kopf und eilte weiter. Sie wollte, sie hätte einen Mantel angezogen. Wie ihr Kleid leuchtete! Und der große Hut mit dem Samtband – wenn es nur ein anderer Hut wäre! Schauten die Leute sie an? Sie taten es wohl. Es war ein Fehler, hierher zu gehen, sie hatte die ganze Zeit gewusst, dass es ein Fehler war. Sollte sie jetzt noch umkehren?

Nein, zu spät. Dies war das Haus. Dies musste es sein. Ein dunkler Knäuel von Leuten stand davor. Neben der Gartentür saß eine uralte Frau mit Krücke auf einem Stuhl und beobachtete. Ihre Füße standen auf einer Zeitung. Die Stimmen verstummten, als Laura näherkam. Die Gruppe teilte sich. Es war, als wäre sie erwartet worden, als hätten sie gewusst, dass sie herkommen würde.

Laura war schrecklich aufgeregt. Sie warf das Samtband über die Schulter zurück und fragte eine Frau, die vor ihr

standing by, "Is this Mrs Scott's house?" and the woman, smiling queerly, said, "It is, my lass."

Oh, to be away from this! She actually said, "Help me, God," as she walked up the tiny path and knocked. To be away from those staring eyes, or to be covered up in anything, one of those women's shawls even. I'll just leave the basket and go, she decided. I shan't even wait for it to be emptied.

Then the door opened. A little woman in black showed in the gloom.

Laura said, "Are you Mrs Scott?" But to her horror the woman answered, "Walk in, please, miss," and she was shut in the passage.

"No," said Laura, "I don't want to come in. I only want to leave this basket. Mother sent –"

The little woman in the gloomy passage seemed not to have heard her. "Step this way, please, miss," she said in an oily voice, and Laura followed her.

She found herself in a wretched little low kitchen, lighted by a smoky lamp. There was a woman sitting before the fire.

"Em," said the little creature who had let her in. "Em! It's a young lady." She turned to Laura. She said meaningly, "I'm 'er sister, miss. You'll excuse 'er, won't you?"

"Oh, but of course!" said Laura. "Please, please don't disturb her. I – I only want to leave –"

But at that moment the woman at the fire turned round. Her face, puffed up, red, with swollen eyes and swollen lips, looked terrible. She seemed as though she couldn't understand why Laura was there. What did it mean? Why was this stranger standing in the kitchen with a basket? What was it all about? And the poor face puckered up again.

"All right, my dear," said the other. "I'll thenk the young lady."

And again she began, "You'll excuse her, miss,

stand: « Ist dies das Haus von Mrs Scott? » und die Frau sagte, sonderbar lächelnd: « Ja, Mädchen. »

Oh, nur hier weg sein! Sie sagte wahrhaftig: « Hilf mir, lieber Gott », als sie den winzigen Weg hinaufging und klopfte. Weg sein von diesen starrenden Augen, oder in irgendetwas gehüllt sein, und wenn es nur so ein Tuch von diesen Frauen wäre. Ich lasse nur den Korb hier und gehe, beschloss sie. Ich warte nicht mal, bis sie ihn auspacken.

Da ging die Tür auf. Eine kleine Frau in Schwarz erschien in der Düsternis.

Laura fragte: « Sind sie Mrs Scott? » Aber zu ihrem Schrecken antwortete die Frau: « Kommen Sie bitte herein, Fräulein », und schon war sie im Korridor eingeschlossen.

« Nein », sagte Laura, « ich möchte nicht hereinkommen. Ich möchte nur diesen Korb hierlassen. Mutter schickt... »

Die kleine Frau in dem düsteren Korridor schien sie nicht gehört zu haben. « Bitte hier lang, Fräulein », sagte sie mit öliger Stimme, und Laura folgte ihr.

Sie befand sich nun in einer elenden, kleinen, niedrigen Küche, die von einer Funzel beleuchtet wurde. Dort saß eine Frau vor dem Herd.

« Emmy », sagte die kleine Frau, die sie hereingeführt hatte. « Emmy! Da ist eine junge Dame. » Sie wandte sich zu Laura. Sie sagte gewichtig: « Ich bin die Schwester, Fräulein. Sie entschuldigen sie schon, nich? »

« Oh, aber natürlich », sagte Laura. « Bitte, bitte stören Sie sie nicht. Ich... ich will nur den Korb... »

Aber in diesem Augenblick drehte sich die Frau am Feuer um. Ihr Gesicht, aufgedunsen, rot, mit verquollenen Augen und geschwollenen Lippen, sah fürchterlich aus. Es schien, als ob sie nicht verstehen konnte, warum Laura da war. Was sollte das? Warum stand diese Fremde in der Küche mit einem Korb? Was bedeutete das alles? Und das arme Gesicht verzog sich von neuem.

« Lass nur, meine Liebe », sagte die andere. « Ich dank schon der jungen Dame. »

Und wieder begann sie: « Sie entschuldigen sie doch,

I'm sure," and her face, swollen too, tried an oily smile.

Laura only wanted to get out, to get away. She was back in the passage. The door opened. She walked straight through into the bedroom, where the dead man was lying.

"You'd like a look at him, wouldn't you?" said Em's sister, and she brushed past Laura over to the bed. "Don't be afraid, my lass" – and now her voice sounded fond and sly, and fondly she drew down the sheet – "'e looks a picture. There's nothing to show. Come along, my dear."

Laura came.

There lay a young man, fast asleep – sleeping so soundly, so deeply, that he was far, far away from them both. Oh, so remote, so peaceful. He was dreaming. Never wake him up again. His head was sunk in the pillow, his eyes were closed; they were blind under the closed eyelids. He was given up to his dream. What did garden parties and baskets and lace frocks matter to him? He was far from all those things. He was wonderful, beautiful. While they were laughing and while the band was playing, this marvel had come to the lane. Happy... happy... All is well, said that sleeping face. This is just as it should be. I am content.

But all the same you had to cry, and she couldn't go out of the room without saying something to him. Laura gave a loud childish sob.

"Forgive my hat," she said.

And this time she didn't wait for Em's sister. She found her way out of the door, down the path, past all those dark people. At the corner of the lane she met Laurie.

He stepped out of the shadow. "Is that you, Laura?"

"Yes."

Fräulein, ja?» und ihr Gesicht, ebenfalls geschwollen, versuchte ein öliges Lächeln.

Laura hatte keinen anderen Wunsch als hinaus und weg. Sie war wieder im Korridor. Die Tür ging auf. Laura trat geradewegs in die Schlafkammer, in welcher der tote Mann lag.

«Sie möchten ihn gern sehen, nicht wahr?» sagte Emmys Schwester und huschte hinter Laura hinüber zum Bett. «Keine Angst, Mädchen!» Ihre Stimme klang liebevoll, geheimnisvoll; zärtlich zog sie das Tuch zurück. «Er sieht wie'n Bild aus. Man sieht nichts. Kommen Sie näher, meine Liebe.»

Laura kam.

Da lag ein junger Mann, fest eingeschlafen – so abgrundtief in Schlaf versunken, dass er weit, weit weg von ihnen beiden war. Oh, so entfernt, so voll Frieden. Er träumte. Weck ihn nie wieder auf! Sein Kopf war im Kissen versunken, seine Augen waren geschlossen; sie waren blind unter den geschlossenen Augenlidern. Er war ganz seinem Traum hingegeben. Was bedeuteten Gartenfeste und Körbe und Spitzenkleider für ihn? Er war weit weg von alledem. Er war wunderbar, er war schön. Während sie miteinander gelacht hatten und während die Kapelle gespielt hatte, war dieses Wunder in der Gasse geschehen. Glücklich... glücklich... Alles ist gut, sagte dieses schlafende Gesicht. Es ist gerade so, wie es sein soll. Ich bin zufrieden.

Gleichwohl musste man weinen, und Laura konnte nicht aus dem Zimmer gehen, ohne etwas zu ihm zu sagen. Sie schluchzte laut auf wie ein Kind.

«Vergib mir meinen Hut», sagte sie.

Diesmal wartete sie nicht auf Emmys Schwester. Sie fand den Weg zur Tür hinaus, den Pfad hinunter, an all den dunklen Leuten vorbei. An der Ecke der Gasse traf sie Laurie.

Er trat aus dem Schatten. «Bist du es, Laura?»

«Ja!»

"Mother was getting anxious. Was it all right?"

"Yes, quite. Oh, Laurie!" She took his arm, she pressed up against him.

"I say, you're not crying, are you?" asked her brother.

Laura shook her head. She was.

Laurie put his arm round her shoulder. "Don't cry," he said in his warm, loving voice. "Was it awful?"

"No," sobbed Laura. "It was simply marvellous. But, Laurie –" She stopped, she looked at her brother. "Isn't life," she stammered, "isn't life –" But what life was she couldn't explain. No matter. He quite understood.

"*Isn't* it, darling?" said Laurie.

« Mutter war besorgt. Ist alles in Ordnung? »

« Ja, ganz und gar. Oh Laurie! » sie nahm seinen Arm und drückte sich an ihn.

« Sag mal, du weinst doch nicht etwa, oder? » fragte ihr Bruder.

Laura schüttelte den Kopf. Sie weinte.

Laurie legte ihr den Arm um die Schulter. « Weine nicht », sagte er mit seiner warmen, liebevollen Stimme. « War es schlimm? »

« Nein », schluchzte Laura. « Es war einfach wunderbar. Aber sag mal, Laurie... » sie hielt inne und schaute ihren Bruder an. « Ist das Leben nicht », stammelte sie, « ist das Leben nicht ... » Doch was das Leben war, konnte sie nicht ausdrücken. Es machte nichts. Er verstand sie auch so.

« Ich denke schon, Schwesterchen », sagte Laurie.

W. Somerset Maugham: Louise

I could never understand why Louise bothered
with me. She disliked me and I knew that behind
my back, in that gentle way of hers, she seldom
lost the opportunity of saying a disagreeable thing
about me. She had too much delicacy ever to make
a direct statement, but with a hint and a sigh and
a little flutter of her beautiful hands she was able
to make her meaning plain. She was a mistress of
cold praise. It was true that we had known one another almost intimately, for five-and-twenty years,
but it was impossible for me to believe that she
could be affected by the claims of old association.
She thought me a coarse, brutal, cynical, and vulgar fellow. I was puzzled at her not taking the ob-
vious course and dropping me. She did nothing of
the kind; indeed, she would not leave me alone;
she was constantly asking me to lunch and dine with
her and once or twice a year invited me to spend
a week-end at her house in the country. At last I
thought that I had discovered her motive. She had
an uneasy suspicion that I did not believe in her;
and if that was why she did not like me, it was also
why she sought my acquaintance: it galled her
that I alone should look upon her as a comic figure
and she could not rest till I acknowledged myself
mistaken and defeated. Perhaps she had an inkling
that I saw the face behind the mask and because I
alone held out was determined that sooner or later
I too should take the mask for the face. I was never
quite certain that she was a complete humbug. I
wondered whether she fooled herself as thoroughly as she fooled the world or whether there was
some spark of humour at the bottom of her heart.
If there was it might be that she was attracted to
me, as a pair of crooks might be attracted to one an-

Ich habe nie verstehen können warum sich Louise mit mir
abgab. Sie mochte mich nicht, und ich wusste, dass sie
selten eine Gelegenheit ausließ, hinter meinem Rücken
in ihrer vornehmen Art etwas Unfreundliches über mich
zu sagen. Sie war zu höflich, um jemals eine eindeutige
Behauptung aufzustellen, aber sie wusste sich mit einer
Andeutung und einem Seufzer und einem zarten Geflatter
ihrer schönen Hände verständlich zu machen. Sie war eine
Meisterin in der Kunst des kühlen Lobes. Wir waren zwar
seit fünfundzwanzig Jahren fast intim befreundet, aber
ich konnte unmöglich glauben, dass die Rechte alter Be-
ziehungen sie irgendwie beeindruckten. Sie hielt mich für
einen ungehobelten, brutalen, zynischen und gewöhn-
lichen Kerl. Ich rätselte daran herum, warum sie nicht das
Naheliegende tat und mich fallen ließ. Sie tat nämlich
nichts dergleichen; sie ließ mir keine Ruhe. Immer wieder
bat sie mich zu einem Imbiss oder zum Mittagessen, und
ein- oder zweimal im Jahr lud sie mich ein, das Wochenende in ihrem Landhaus zu verbringen. Schließlich glaubte
ich ihr Motiv entdeckt zu haben. Sie hegte den quälenden
Verdacht, dass ich sie nicht ernst nahm; und wenn sie
mich deshalb nicht mochte, so suchte sie eben deshalb
meinen Umgang: es ärgerte sie, dass ich als einziger sie
für eine komische Figur hielt, und sie konnte nicht ruhen,
bis ich meinen Irrtum einsehen und mich geschlagen
geben würde. Vielleicht hatte sie eine Ahnung, dass ich das
Gesicht hinter der Maske sah, und weil ich allein stand-
haft blieb, wollte sie unbedingt erreichen, dass auch ich
früher oder später die Maske für das Gesicht nehmen sollte. Ich war mir nie ganz sicher, ob sie wirklich nur schwin-
delte. Ich überlegte, ob sie sich selbst so völlig betrog,
wie sie alle Welt betrog, oder ob sich nicht doch ein Fünk-
chen Humor auf dem Grunde ihres Herzens fand. Wenn
das zutraf, so fand sie vielleicht an mir Gefallen, wie zwei
Schelme aneinander Gefallen finden mögen: weil sie wuss-

other, by the knowledge that we shared a secret that was hidden from everybody else.

I knew Louise before she married. She was then a frail, delicate girl with large and melancholy eyes. Her father and mother worshipped her with an anxious adoration, for some illness, scarlet fever I think, had left her with a weak heart and she had to take the greatest care of herself. When Tom Maitland proposed to her they were dismayed, for they were convinced that she was much too delicate for the strenuous state of marriage. But they were not too well off and Tom Maitland was rich. He promised to do everything in the world for Louise and finally they entrusted her to him as a sacred charge. Tom Maitland was a big, husky fellow, very good-looking and a fine athlete. He doted on Louise. With her weak heart he could not hope to keep her with him long and he made up his mind to do everything he could to make her few years on earth happy. He gave up the games he excelled in, not because she wished him to, she was glad that he should play golf and hunt, but because by a coincidence she had a heart attack whenever he proposed to leave her for a day. If they had a difference of opinion she gave in to him at once, for she was the most submissive wife a man could have, but her heart failed her and she would be laid up, sweet and uncomplaining, for a week. He would not be such a brute as to cross her. Then they would have quite a little tussle about which should yield and it was only with difficulty that at last he persuaded her to have her own way. On one occasion seeing her walk eight miles on an expedition that she particularly wanted to make, I suggested to Tom Maitland that she was stronger than one would have thought. He shook his head and sighed.

ste, dass wir ein Geheimnis teilten, das außer uns niemand kannte.

Ich kannte Louise schon vor ihrer Hochzeit. Damals war sie ein zartes, zerbrechliches Mädchen mit großen, melancholischen Augen. Ihr Vater und ihre Mutter umgaben sie mit ängstlicher Anbetung, denn von irgendeiner Krankheit, ich glaube, es war Scharlach, hatte sie ein schwaches Herz zurückbehalten, und sie musste sehr auf sich achtgeben. Als Tom Maitland um sie anhielt, waren die Eltern tief bestürzt, denn sie waren überzeugt, dass sie viel zu zart sei für die Anstrengungen des Ehestandes. Aber sie lebten nicht in besonders guten Verhältnissen, und Tom Maitland war reich. Er versprach, alles Menschenmögliche für Louise zu tun, und sie vertrauten sie ihm schließlich als ein heiliges Vermächtnis an. Tom Maitland war ein großer, rauher Bursche, sehr gut aussehend und ein großer Sportler. Er war ganz vernarrt in Louise. Bei ihrem schwachen Herzen würde sie ihm nicht lange erhalten bleiben, und er beschloss, alles zu tun, was in seinen Kräften stand, um ihre wenigen Erdenjahre glücklich zu machen. Er gab die Sportarten auf, in denen er hervorstach; nicht weil sie es gewünscht hätte, nein, sie wäre froh gewesen, wenn er Golf gespielt hätte oder auf die Jagd gegangen wäre, sondern weil sie zufällig immer dann einen Herzanfall hatte, wenn er sie auf einen Tag verlassen wollte. Hatten sie eine Meinungsverschiedenheit, so gab sie gleich nach, denn sie war die ergebenste Ehefrau, die man sich vorstellen konnte, aber ihr Herz setzte aus, und sie war dann eben eine Woche lang bettlägerig – lieblich und ohne Klage. Er konnte nicht so roh sein, gegen ihren Willen zu handeln. Dann hatten sie jedesmal einen ganz kleinen Streit, in dem sie nachgab, und nur mit Mühe konnte er sie endlich überreden, zu tun, was sie wollte. Als ich einmal mit ansah, wie sie bei einem Ausflug, an dem ihr besonders lag, acht Meilen zu Fuß ging, machte ich Tom Maitland darauf aufmerksam, sie sei doch wohl stärker, als man meinen möchte. Aber er schüttelte den Kopf und seufzte.

"No, no, she's dreadfully delicate. She's been to all the best heart specialists in the world and they all say that her life hangs on a thread. But she has an unconquerable spirit."

He told her that I had remarked on her endurance.

"I shall pay for it tomorrow," she said to me in her plaintive way. "I shall be at death's door."

"I sometimes think that you're quite strong enough to do the things you want to," I murmured.

I had noticed that if a party was amusing she could dance till five in the morning, but if it was dull she felt very poorly and Tom had to take her home early. I am afraid she did not like my reply, for though she gave me a pathetic little smile I saw no amusement in her large blue eyes.

"You can't very well expect me to fall down dead just to please you," she answered.

Louise outlived her husband. He caught his death of cold one day when they were sailing and Louise needed all the rugs there were to keep her warm. He left her a comfortable fortune and a daughter. Louise was inconsolable. It was wonderful that she managed to survive the shock. Her friends expected her speedily to follow poor Tom Maitland to the grave. Indeed they already felt dreadfully sorry for Iris, her daughter, who would be left an orphan. They redoubled their attentions towards Louise. They would not let her stir a finger; they insisted on doing everything in the world to save her trouble. They had to, because if she was called upon to do anything tiresome or inconvenient her heart went back on her and there she was at death's door. She was entirely lost without a man to take care of her, she said, and she did not know how, with her delicate health, she was going to bring up her dear Iris. Her

«Nein, nein. Sie ist schrecklich zart. Sie ist bei den besten Herzspezialisten in der ganzen Welt gewesen, und sie sagen alle, dass ihr Leben an einem Faden hängt. Aber sie hat eine unbändige Willenskraft.»

Er erzählte ihr, dass ich von ihrer Ausdauer gesprochen hätte.

«Morgen muss ich es büßen», sagte sie mit ihrer Leidensmine. «Morgen stehe ich an der Schwelle des Todes.»

«Es kommt mir manchmal so vor, als seien Sie durchaus kräftig genug, zu tun, woran Ihnen liegt», murmelte ich.

Ich hatte bemerkt, dass sie bis fünf Uhr morgens tanzen konnte, wenn eine Party unterhaltsam war; war sie aber langweilig, dann fühlte sie sich gar nicht gut, und Tom musste sie früh nach Hause bringen. Ich fürchte, dass meine Antwort ihr nicht gefiel, denn obwohl sie mir ein rührendes schwaches Lächeln schenkte, sah ich keine Heiterkeit in ihren großen blauen Augen.

«Sie können nicht gut erwarten, dass ich Ihnen zuliebe tot umfalle», erwiderte sie.

Louise überlebte ihren Mann. Er holte sich eines Tages den Tod durch eine Erkältung, als sie zusammen segelten und Louise alle vorhandenen Wolldecken benötigte, um sich warm zu halten. Er hinterließ ihr ein auskömmliches Vermögen und eine Tochter. Louise war untröstlich. Es war bewundernswert, wie sie es fertigbrachte, diesen Schlag zu überstehen. Ihre Freunde erwarteten, sie werde unverzüglich dem armen Tom ins Grab folgen. Ja, sie hatten schon größtes Mitleid mit Iris, ihrer Tochter, die als Waise zurückbleiben würde. Sie waren doppelt aufmerksam zu Louise. Sie ließen sie nicht einen Finger rühren, sie bestanden darauf, alles Erdenkliche zu tun, um ihr Schwierigkeiten zu ersparen. Und sie bekamen wirklich zu tun, denn wenn Louise etwas Lästiges oder Unbequemes erledigen sollte, machte sich ihr Herz bemerkbar, und schon stand sie an der Schwelle des Todes. Sie sei ganz verloren ohne einen Mann, der für sie sorge, sagte sie, und sie wisse nicht, wie sie bei ihrer zarten Gesundheit ihre liebe Iris aufziehen

friends asked why she did not marry again. Oh, with her heart it was out of the question, though of course she knew that dear Tom would have wished her to, and perhaps it would be the best thing for Iris if she did; but who would want to be bothered with a wretched invalid like herself? Oddly enough more than one young man showed himself quite ready to undertake the charge and a year after Tom's death she allowed George Hobhouse to lead her to the altar. He was a fine, upstanding fellow and he was not at all badly off. I never saw anyone so grateful as he for the privilege of being allowed to take care of this frail little thing.

"I shan't live to trouble you long," she said.

He was a soldier and an ambitious one, but he resigned his commission. Louise's health forced her to spend the winter at Monte Carlo and the summer at Deauville. He hesitated a little at throwing up his career, and Louise at first would not hear of it; but at last she yielded as she always yielded, and he prepared to make his wife's last few years as happy as might be.

"It can't be very long now," she said. "I'll try not to be troublesome."

For the next two or three years Louise managed, notwithstanding her weak heart, to go beautifully dressed to all the most lively parties, to gamble very heavily, to dance and even to flirt with tall slim young men. But George Hobhouse had not the stamina of Louise's first husband and he had to brace himself now and then with a stiff drink for his day's work as Louise's second husband. It is possible that the habit would have grown on him, which Louise would not have liked at all but very fortunately (for her) the war broke out. He rejoined his regiment and three months later was killed. It was a great shock to Louise. She felt, how-

solle. Ihre Freunde fragten, warum sie nicht wieder heirate.
Oh, bei ihrem Herzen sei das ganz ausgeschlossen, obwohl
sie natürlich wisse, dass ihr lieber Tom es gewünscht habe;
für Iris wäre es vielleicht das Beste, wenn sie es täte; aber
wer würde sich schon mit einer elenden Kranken wie ihr ab-
geben wollen? Sonderbar genug: mehr als ein junger Mann
zeigte sich durchaus bereit, das Amt zu übernehmen, und
ein Jahr nach Toms Tode erlaubte sie George Hobhouse, sie
zum Altar zu führen. Er war ein tüchtiger Mann, eine ehr-
liche Haut, und alles andere als arm. Ich habe nie jemanden
gesehen, der so dankbar war wie er für das Vorrecht, dieses zerbrechliche kleine Wesen umsorgen zu dürfen.

«Ich werde nicht lange leben und dir zur Last fallen»,
sagte sie.

Er war Soldat, und ein ehrgeiziger dazu, aber er quittier-
te den Dienst. Ihr Gesundheitszustand zwang Louise, den
Winter in Monte Carlo und den Sommer in Deauville zu
verbringen. Er zögerte ein wenig, seine Laufbahn aufzu-
geben, und Louise wollte zuerst auch nichts davon hören;
aber am Ende gab sie nach, wie sie immer nachgab, und er
schickte sich an, die letzten Jahre seiner Frau so glücklich
wie möglich zu machen.

«Es kann nicht mehr für lange sein», sagte sie. «Ich will
versuchen, dir nicht lästig zu sein.»

Während der nächsten zwei oder drei Jahre gelang es
Louise trotz ihres schwachen Herzens, schön angezogen
auf die muntersten Parties zu gehen, hoch zu spielen, zu
tanzen und sogar mit großen, schlanken jungen Männern
zu flirten. Aber George Hobhouse hatte nicht die Ausdauer
von Louises erstem Mann und musste sich hin und wieder
mit einem steifen Schluck für sein Tagewerk als Louises
zweiter Mann stärken. Möglicherweise wäre es ihm zur
Gewohnheit geworden, und Louise hätte das ganz und gar
nicht gemocht, aber zum großen Glück (für sie) brach der
Krieg aus. Er rückte zu seinem Regiment ein und fiel drei
Monate später. Es war ein schwerer Schlag für Louise. Sie
fand aber, dass sie in so schwerer Lage ihrem persönlichen

ever, that in such a crisis she must not give way to a private grief; and if she had a heart attack nobody heard of it. In order to distract her mind she turned her villa at Monte Carlo into a hospital for convalescent officers. Her friends told her that she would never survive the strain.

"Of course it will kill me," she said, "I know that. But what does it matter? I must do my bit."

It didn't kill her. She had the time of her life. There was no convalescent home in France that was more popular. I met her by chance in Paris. She was lunching at the Ritz with a tall and very handsome young Frenchman. She explained that she was there on business connected with the hospital. She told me that the officers were too charming to her. They knew how delicate she was and they wouldn't let her do a single thing. They took care of her, well – as though they were all her husbands. She sighed.

"Poor George, who would ever have thought that I with my heart should survive him?"

"And poor Tom!" I said.

I don't know why she didn't like my saying that. She gave me her plaintive smile and her beautiful eyes filled with tears.

"You always speak as though you grudged me the few years that I can expect to live."

"By the way, your heart's much better, isn't it?"

"It'll never be better. I saw a specialist this morning and he said I must be prepared for the worst."

"Oh, well, you've been prepared for that for nearly twenty years now, haven't you?"

When the war came to an end Louise settled in London. She was now a woman of over forty, thin and frail still, with large eyes and pale cheeks, but she did not look a day more than twenty-five. Iris, who had been at school and was now grown up, came to live with her.

Kummer keinen Lauf lassen durfte, und wenn sie einen Herzanfall hatte, so erfuhr es doch niemand. Um sich abzulenken, verwandelte sie ihre Villa in Monte Carlo in ein Genesungsheim für Offiziere. Ihre Freunde sagten zu ihr, sie werde diese Anstrengung nie überleben.

«Natürlich wird es mein Tod sein», erklärte sie, «das weiß ich. Aber was macht das? Ich muss meinen kleinen Beitrag leisten.»

Es war nicht ihr Tod. Sie verbrachte die schönste Zeit ihres Lebens. Es gab kein Genesungsheim in Frankreich, das beliebter gewesen wäre. Ich traf sie zufällig in Paris. Sie speiste im Ritz mit einem großen und sehr hübschen jungen Franzosen. Sie erklärte, sie sei geschäftlich für ihr Lazarett dort. Sie erzählte mir, die Offiziere seien wirklich zu nett zu ihr. Sie wussten, wie zart sie war, und erlaubten ihr nicht, das Geringste zu tun: Sie sorgten für sie, nun – als ob sie alle ihre Ehemänner wären. Sie seufzte.

«Der arme George. Wer hätte je gedacht, dass ich mit meinem Herzen ihn überleben würde?»

«Und der arme Tom!» sagte ich.

Ich weiß nicht, warum es ihr nicht gefiel, dass ich das sagte. Sie schenkte mir ihr wehleidiges Lächeln, und ihre schönen Augen füllten sich mit Tränen.

«Sie reden immer, als gönnten Sie mir die wenigen Jahre nicht, die mir noch zu leben bleiben können.»

«Übrigens, Ihr Herz ist jetzt viel besser, nicht wahr?»

«Es wird nie besser. Ich war heute morgen bei einem Spezialisten, und er hat gesagt, ich müsste mich auf das Schlimmste gefasst machen.»

«Na schön, Sie haben sich ja nun schon seit fast zwanzig Jahren darauf gefasst gemacht, nicht wahr?»

Als der Krieg zu Ende war, ließ sich Louise in London nieder. Sie war nun eine Frau von über vierzig Jahren, immer noch dünn und zerbrechlich, mit großen Augen und bleichen Wangen, aber sie sah nicht einen Tag älter aus als fünfundzwanzig. Iris, die zur Schule gegangen und nun erwachsen war, zog zu ihr.

"She'll take care of me," said Louise. "Of course, it'll be hard on her to live with such a great invalid as I am, but it can only be for such a little while, I'm sure she won't mind."

Iris was a nice girl. She had been brought up with the knowledge that her mother's health was precarious. As a child she had never been allowed to make a noise. She had always realized that her mother must on no account be upset. And though Louise told her now that she would not hear of her sacrificing herself for a tiresome old woman the girl simply would not listen. It wasn't a question of sacrificing herself, it was a happiness to do what she could for her poor dear mother. With a sigh her mother let her do a great deal.

"It pleases the child to think she's making herself useful," she said.

"Don't you think she ought to go out and about more?" I asked.

"That's what I'm always telling her. I can't get her to enjoy herself. Heaven knows, I never want anyone to put themselves out on my account."

And Iris, when I remonstrated with her, said: "Poor dear mother, she wants me to go and stay with friends and go to parties, but the moment I start off anywhere she has one of her heart attacks, so I much prefer to stay at home."

But presently she fell in love. A young friend of mine, a very good lad, asked her to marry him and she consented. I liked the child and was glad that she was to be given at last the chance to lead a life of her own. She had never seemed to suspect that such a thing was possible. But one day the young man came to me in great distress and told me that his marriage was indefinitely postponed. Iris felt that she could not desert her mother. Of course it was really no business of mine,

«Sie wird für mich sorgen», sagte Louise. «Natürlich wird es sie hart ankommen, mit einer so Schwerkranken wie mir zusammen zu leben, aber es kann ja nur für kurze Zeit sein; ich bin sicher, dass es ihr nichts ausmacht.»

Iris war ein reizendes Mädchen. Sie war aufgewachsen in dem Wissen, dass die Gesundheit ihrer Mutter heikel sei. Als Kind hatte sie nie ein Geräusch machen dürfen. Sie war sich immer klar darüber gewesen, dass ihre Mutter unter gar keinen Umständen aufgeregt werden durfte. Und obwohl Louise ihr jetzt sagte, sie wolle nichts davon hören, dass sie sich für eine langweilige alte Frau aufopfere, gehorchte das Mädchen ganz einfach nicht. Von Aufopfern konnte keine Rede sein, es war eine Freude für sie, für ihre arme alte Mutter alles zu tun, was in ihren Kräften stand. Seufzend ließ ihre Mutter sie sehr viel tun.

«Es bereitet dem Kind Freude, zu denken, sie mache sich nützlich», sagte sie.

«Meinen Sie nicht, sie sollte mehr unter Menschen kommen?»

«Das sage ich ihr ja immer. Ich kann sie nicht dazu bewegen, sich etwas zu gönnen. Der Himmel weiß, dass ich nie von jemandem verlangt habe, sich meinetwegen Beschränkungen aufzuerlegen.»

Und Iris sagte, als ich ihr Vorhaltungen machte: «Die arme, liebe Mutter, sie möchte, dass ich mit Freunden verkehre und Parties besuche, aber in dem Augenblick, wenn ich irgendwohin gehen will, bekommt sie einen ihrer Herzanfälle; deshalb bleibe ich viel lieber daheim.»

Aber bald darauf verliebte sie sich. Ein junger Freund von mir, ein sehr netter Bursche, bat sie um ihre Hand, und sie willigte ein. Ich mochte das Kind gerne leiden und war froh, dass sie endlich Gelegenheit bekommen sollte, ihr eigenes Leben zu führen. Sie hatte anscheinend nie daran gedacht, dass so etwas möglich sei. Aber eines Tages kam der junge Mann in großer Bedrängnis zu mir und erzählte, seine Heirat sei auf unbestimmte Zeit verschoben. Iris fand, sie dürfe ihre Mutter nicht allein lassen. Natürlich war das ganz und

but I made the opportunity to go and see Louise. She was always glad to receive her friends at tea-time and now that she was older she cultivated the society of painters and writers.

"Well, I hear that Iris isn't going to be married," I said after a little.

"I don't know about that. She's not going to be married quite as soon as I could have wished. I've begged her on my bended knees not to consider me, but she absolutely refuses to leave me."

"Don't you think it's rather hard on her?"

"Dreadfully. Of course it can only be for a few months, but I hate the thought of anyone sacrificing themselves for me."

"My dear Louise, you've buried two husbands, I can't see the least reason why you shouldn't bury at least two more."

"Do you think that's funny?" she asked me in a tone that she made as offensive as she could.

"I suppose it's never struck you as strange that you're always strong enough to do anything you want to and that your weak heart only prevents you from doing things that bore you?"

"Oh, I know, I know what you've always thought of me. You've never believed that I had anything the matter with me, have you?"

I looked at her full and square.

"Never. I think you've carried out for twenty-five years a stupendous bluff. I think you're the most selfish and monstrous woman I have ever known. You ruined the lives of those two wretched men you married and now you're going to ruin the life of your daughter."

I should not have been surprised if Louise had had a heart attack then. I fully expected her to fly into a passion. She merely gave me a gentle smile.

gar nicht meine Sache, aber ich fand eine Gelegenheit, Louise zu besuchen. Sie war immer froh, ihre Freunde zur Teestunde zu empfangen, und nun, da sie älter geworden war, pflegte sie den Umgang mit Malern und Schriftstellern.

« Sagen Sie, ich höre gerade, dass Iris nicht heiraten wird? » fragte ich nach einer Weile.

« Davon weiß ich nichts. Sie wird nicht ganz so bald heiraten, wie ich es gewünscht hätte. Ich habe sie kniefällig gebeten, nicht an mich zu denken, aber sie weigert sich rundweg, mich zu verlassen. »

« Meinen Sie nicht, dass es recht hart für sie ist? »

« Furchtbar hart. Natürlich kann es nur auf ein paar Monate sein, aber ich hasse den Gedanken, dass irgend jemand sich für mich opfern könnte. »

« Meine liebe Louise, Sie haben zwei Ehemänner begraben, und ich sehe nicht den geringsten Grund, warum Sie nicht noch mindestens zwei weitere begraben sollten. »

« Finden Sie das sehr witzig? » fragte sie mich in einem Ton, den sie so beleidigend wie möglich machte.

« Ich nehme an, es ist Ihnen nie aufgefallen, dass Sie immer stark genug sind, um alles zu tun, woran Ihnen liegt, und dass Ihr schwaches Herz Sie nur an den Dingen hindert, die Ihnen unangenehm sind? »

« Oh, ich weiß, ich weiß, was Sie schon immer von mir gedacht haben. Sie haben nie geglaubt, dass ich irgend etwas Ernsthaftes hätte, nicht wahr? »

Ich blickte sie offen und gerade an.

« Nie. Ich glaube, Sie haben fünfundzwanzig Jahre lang eine erstaunliche Komödie durchgehalten. Ich glaube, Sie sind die selbstsüchtigste und widernatürlichste Frau, die ich je gesehen habe. Sie haben das Leben der beiden unglücklichen Männer zerstört, die Sie geheiratet haben, und nun sind Sie dabei, das Leben Ihrer Tochter zu zerstören. »

Es würde mich nicht überrascht haben, wenn Louise nun einen Herzanfall bekommen hätte. Ich war ganz darauf gefasst, dass sie in Wut geraten würde. Aber sie schenkte mir nur ein anmutiges Lächeln.

"My poor friend, one of these days you'll be so dreadfully sorry you said this to me."

"Have you quite determined that Iris shall not marry this boy?"

"I've begged her to marry him. I know it'll kill me, but I don't mind. Nobody cares for me. I'm just a burden to everybody."

"Did you tell her it would kill you?"

"She made me."

"As if anyone ever made you do anything that you were not yourself quite determined to do."

"She can marry her young man tomorrow if she likes. If it kills me, it kills me."

"Well, let's risk it, shall we?"

"Haven't you got any compassion for me?"

"One can't pity anyone who amuses one as much as you amuse me," I answered.

A faint spot of colour appeared on Louise's pale cheeks and though she smiled still her eyes were hard and angry.

"Iris shall marry in a month's time," she said, "and if anything happens to me I hope you and she will be able to forgive yourselves."

Louise was as good as her word. A date was fixed, a trousseau of great magnificence was ordered, and invitations were issued. Iris and the very good lad were radiant. On the wedding-day, at ten o'clock in the morning, Louise, that devilish woman, had one of her heart attacks – and died. She died gently forgiving Iris for having killed her.

« Armer Freund, eines gar nicht fernen Tages wird es Ihnen schrecklich leid tun, dass Sie mir dies gesagt haben. »

« Haben Sie ganz fest beschlossen, dass Iris diesen Jungen nicht heiraten soll? »

« Ich habe sie gebeten, ihn zu heiraten. Ich weiß, dass es mein Tod sein wird, aber das macht nichts. An mich denkt ja niemand. Ich falle nur allen zur Last. »

« Haben Sie ihr gesagt, dass es Ihr Tod sein würde? »

« Sie hat mich dazu gezwungen. »

« Als ob irgend jemand Sie jemals gezwungen hätte, irgend etwas zu tun, was Sie nicht selbst fest vorhatten. »

« Sie kann ihren jungen Mann morgen heiraten, wenn sie will. Wenn es mein Tod ist, ist es eben mein Tod. »

« Schön, lassen wir es doch darauf ankommen, oder? »

« Haben Sie denn gar kein Mitleid mit mir? »

« Jemand, der einem so viel Spaß macht wie Sie mir, kann einem nicht leid tun », erwiderte ich.

Ein schwacher Farbtupfen erschien auf Louises bleichen Wangen, und obwohl sie noch lächelte, waren ihre Augen hart und böse.

« Iris soll in einem Monat heiraten », sagte sie, « und wenn mir irgend etwas zustößt, hoffe ich nur, dass Sie und Iris es fertigbringen, es sich zu verzeihen. »

Louise stand zu ihrem Wort. Ein Termin wurde festgesetzt, eine Aussteuer von großer Pracht bestellt und Einladungen verschickt. Iris und der freundliche junge Mann strahlten. Am Hochzeitstage, um zehn Uhr morgens, bekam Louise, dieses Teufelsweib, einen ihrer Herzanfälle – und starb. Sie starb, indem sie Iris liebevoll verzieh, sie in den Tod getrieben zu haben.

A message came from the rescue party, who straightened up and leaned on their spades in the rubble. The policeman said to the crowd: "Everyone keep quiet for five minutes. No talking, please. They're trying to hear where he is."

The silent crowd raised their faces and looked across the ropes to the church, which, now it was destroyed, broke the line of the street like a decayed tooth. The bomb had brought down the front wall and the roof, the balcony had capsized. Freakishly untouched, the hymnboard still announced the previous Sunday's hymns.

A small wind blew a smell of smouldering cloth across people's noses from another street where there was another scene like this. A bus roared by and heads turned in passive anger until the sound of the engine had gone. People blinked as a pigeon flew from a roof and crossed the building like an omen of release. There was dead quietness again. Presently a murmuring sound was heard by the rescue party. The man buried under the debris was singing again.

At first difficult to hear, soon a tune became definite. Two of the rescuers took up their shovels and shouted down to encourage the buried man, and the voice became stronger and louder. Words became clear. The leader of the rescue party held back the others, and those who were near strained to hear. Then the words were unmistakable:

Oh Thou whose Voice the waters heard,
And hushed their raging at Thy Word.

The buried man was singing a hymn.

A clergyman was standing with the warden in the middle of the ruined church.

V. S. Pritchett: Die Stimme

Von den Männern des Rettungstrupps, die sich aufrichteten und sich mit ihren Spaten auf die Trümmer stützten, kam eine Meldung. Der Polizist sagte zu der Menge: «Alle mal still sein für fünf Minuten. Bitte nicht sprechen. Sie versuchen jetzt zu hören, wo er ist.»

Die schweigende Menge hob die Köpfe und blickte durch die Seile auf die Kirche, die jetzt, da sie zerstört war, die Straßenflucht unterbrach wie ein kaputter Zahn. Die Bombe hatte die Stirnwand und das Dach niedergerissen, die Empore lag gekentert da. Die Nummerntafel, wie aus einer Laune unberührt geblieben, nannte noch die Lieder vom vergangenen Sonntag.

Mit einem schwachen Wind kam aus einer anderen Straße, wo sich eine ähnliche Szene abspielte, der Geruch von schwelenden Kleidern den Leuten in die Nase. Ein Omnibus donnerte vorbei, und die Köpfe wandten sich in müdem Zorn, bis das Geräusch des Motors verklungen war. Die Leute zuckten mit den Wimpern, als eine Taube vom Dach weg durch das Gebäude flog wie ein Vorzeichen der Erlösung. Dann herrschte wieder Totenstille. Jetzt hörte der Rettungstrupp ein dumpfes, leises Geräusch. Der Mann, der da unter den Trümmern verschüttet war, sang wieder.

Erst kaum zu hören, war bald eine Melodie zu erkennen. Zwei Rettungsmänner nahmen ihre Schaufeln. Sie schrien hinunter, um dem Verschütteten Mut zu machen, und die Stimme wurde fester und lauter. Man konnte schon Worte verstehen. Der Führer des Rettungstrupps hielt die anderen Männer und die in nächster Nähe Horchenden zurück. Die Worte waren nun unverkennbar:

Du, dessen Stimme die Wasser vernahmen,
Dein heiliges Wort ließ ihr Toben erlahmen.

Der Verschüttete sang einen Choral.

Ein Geistlicher stand mit dem Kirchenvorsteher mitten in der zerstörten Kirche.

"That's Mr Morgan all right," the warden said. "He could sing. He got silver medals for it."

The Rev. Frank Lewis frowned.

"Gold, I shouldn't wonder," said Mr Lewis dryly. Now he knew Morgan was alive he said: "What the devil's he doing in there? How did he get in? I locked up at eight o'clock last night myself."

Lewis was a wiry, middle-aged man, but the white dust on his hair and his eyelashes, and the way he kept licking the dust off his dry lips, moving his jaws all the time, gave him the monkeyish, testy and suspicious air of an old man. He had been up all night on rescue work in the raid and he was tired out. The last straw was to find the church gone and that Morgan, the so-called Rev. Morgan, was buried under it.

The rescue workers were digging again. There was a wide hole now and a man was down in it filling a basket with his hands. The dust rose like smoke from the hole as he worked.

The voice had not stopped singing. It went on, rich, virile, masculine, from verse to verse of the hymn. Shooting up like a stem through the rubbish the voice seemed to rise and branch out powerfully, luxuriantly and even theatrically, like a tree, until everything was in its shade. It was a shade that came towards one like dark arms.

"All the Welsh can sing," the warden said. Then he remembered that Lewis was Welsh also. "Not that I've got anything against the Welsh," the warden said.

The scandal of it, Lewis was thinking. Must he sing so loud, must he advertise himself? I locked up myself last night. How the devil did he get in? And he really meant: How did the devil get in?

«Das ist bestimmt Mr Morgan», sagte der Vorsteher.
«Der konnte singen. Er hat Silbermedaillen dafür gekriegt.»
Pastor Frank Lewis runzelte die Stirn.

«Wahrscheinlich sogar goldene», sagte Mr Lewis trocken. Jetzt, da er wusste, dass Morgan lebte, meinte er: «Was zum Teufel hatte er hier zu suchen? Wie ist er hereingekommen? Ich habe doch gestern abend um acht Uhr selber abgeschlossen.»

Lewis war drahtig und im besten Alter, aber der weiße Staub auf Haar und Wimpern und die Art, wie er immerzu diesen Staub von den trockenen Lippen leckte, wobei er ständig die Kiefer bewegte, gaben ihm das affengleiche, mürrische, misstrauische Aussehen eines alten Mannes. Er hatte die ganze Nacht [nach dem Luftangriff] draußen bei den Rettungsarbeiten verbracht und war übermüdet. Das Maß war voll, als er sah, dass die Kirche zerstört und Morgan, der sogenannte Pastor Morgan, in ihr verschüttet war.

Die Rettungsmänner gruben wieder. Jetzt war schon ein großes Loch da, und ein Mann war hineingekrochen, um mit den Händen einen Korb zu füllen. Während er arbeitete, stieg der Staub wie Rauch aus dem Loch.

Die Stimme hatte nicht aufgehört. Sie sang voll, kräftig und männlich eine Strophe des Liedes nach der anderen. Wie ein Stamm schien die Stimme rasch durch den Schutt heraufzuwachsen und sich kraftvoll, üppig und geradezu theatralisch zu verzweigen wie ein Baum, bis alles in ihrem Schatten stand. Ein Schatten war das, der wie dunkle Äste nach einem zu greifen schien.

«Die Waliser können alle singen», sagte der Kirchenvorsteher. Dann fiel ihm ein, dass Lewis auch aus Wales war. «Nicht dass ich etwas gegen die Waliser hätte», sagte der Kirchenvorsteher.

«Wirklich skandalös», dachte Lewis. «Muss er denn so laut singen, muss er sich so herausstellen? Ich habe doch selber gestern abend abgeschlossen. Wie zum Teufel ist er hereingekommen?» In Wirklichkeit meinte er: «Wie ist der Teufel hereingekommen?»

To Lewis, Morgan was the nearest human thing to the devil. He could never pass that purple-gowned figure, sauntering like a cardinal in his skull cap on the sunny side of the street, without a shudder of distaste and derision. An unfrocked priest, his predecessor in the church, Morgan ought in strict justice to have been in prison, and would have been but for the indulgence of the bishop. But this did not prevent the old man with the saintly white head and the eyes half-closed by the worldly juices of food and wine from walking about dressed in his vestments, like an actor walking in the sun of his own vanity, a hook-nosed satyr, a he-goat significant to servant girls, the crony of the public-house, the chaser of bookmakers, the smoker of cigars. It was terrible, but it was just that the bomb had buried him; only the malice of the Evil One would have thought of bringing the punishment of the sinner upon the church as well. And now, from the ruins, the voice of the wicked man rose up in all the elaborate pride of art and evil.

Suddenly there was a moan from the sloping timber, slates began to skate down.

"Get out. It's going," shouted the warden.

The man who was digging struggled out of the hole as it bulged under the landslide. There was a dull crumble, the crashing and splitting of wood and then the sound of brick and dust tearing down below the water. Thick dust clouded over and choked them all. The rubble rocked like a cake-walk. Everyone rushed back and looked behind at the wreckage as if it were still alive. It remained still. They all stood there, frightened and suspicious. Presently one of the men with the shovel said, "The bloke's shut up."

Everyone stared stupidly. It was true. The man had stopped singing. The clergyman was the first

Für Lewis war Morgan dasjenige menschliche Wesen, das gleich nach dem Teufel kam. Er konnte nie ohne einen Schauder von Widerwillen und Hohn an dieser purpurgewandeten Gestalt vorbeigehen, die wie ein Kardinal mit dem Käppchen auf der Sonnenseite der Straße schlenderte. Als amtsenthobener Priester hätte Morgan, sein Vorgänger im Pfarramt, von Rechts wegen ins Gefängnis gehört, und ohne die Nachsicht des Bischofs wäre er auch drinnen. Aber das hinderte den Alten mit dem heiligmäßig weißen Haupt und den von den weltlichen Säften des guten Essens und des Weins halbgeschlossenen Augen nicht, wie ein Schauspieler im Glanze seiner eigenen Eitelkeit in Amtstracht herumzulaufen, dieser hakennasige Satyr, dieser bei allen Kellnerinnen berüchtigte Bock, dieser Hansdampf in allen Kneipen, dieser zigarrenqualmende Zutreiber der Buchmacher. Es war furchtbar, aber gerecht, dass die Bombe ihn begraben hatte, während nur die Arglist des Bösen das Strafgericht über den Sünder auch über die Kirche gebracht haben konnte. Und nun kam aus den Trümmern die Stimme dieses gottlosen Menschen mit dem vollendeten Hochmut der Kunst und der Bosheit.

Plötzlich kam ein Ächzen von den sich senkenden Balken, und Dachschiefer rutschten herunter.

«Raus da! Es stürzt ein!» schrie der Kirchenvorsteher.

Der Mann, der da unten grub, zog sich gerade noch aus dem Loch, bevor es von dem Erdrutsch eingedrückt wurde. Ein stumpfes Bröckeln, das Brechen und Splittern von Holz ertönte, und dann ein Geräusch wie von Ziegeln, die im Wasser versinken. Dicker Staub wirbelte auf und erstickte sie fast. Die Trümmer wackelten wie wilde Tänzer. Jeder stürzte zurück und blickte auf den Schutthaufen, als wäre er lebendig. Aber es blieb still. Furchtsam und misstrauisch standen sie alle da. Und einer von den Männern mit der Schaufel erklärte jetzt: «Nun sagt der Kerl nichts mehr.»

Sie starrten mit dummen Gesichtern vor sich hin. Es stimmte. Der Mann hatte aufgehört zu singen. Der Geist-

to move. Gingerly he went to what was left of the hole and got down on his knees.

"Morgan!" he said, in a low voice.

Then he called out more loudly:

"Morgan!"

Getting no reply, Lewis began to scramble the rubble away with his hands.

"Morgan!" he shouted. "Can you hear?" He snatched a shovel from one of the men and began digging and shovelling the stuff away. He had stopped chewing and muttering. His expression had entirely changed. "Morgan!" he called. He dug for two feet and no one stopped him. They looked with bewilderment at the sudden frenzy of the small man grubbing like a monkey, spitting out the dust, filing down his nails. They saw the spade at last shoot through the old hole. He was down the hole widening it at once, letting himself down as he worked. He disappeared under a ledge made by the fallen timber.

The party above could do nothing. "Morgan," they heard him call. "It's Lewis. We're coming. Can you hear?" He shouted for an axe and present-ly they heard him smashing with it. He was scratching like a dog or a rabbit.

A voice like that to have stopped, to have gone! Lewis was thinking. How unbearable this silence was. A beautiful proud voice, the voice of a man, a voice like a tree, the soul of a man spreading in the air like the cedars of Lebanon. "Only one man I have heard with a bass like that. Owen the Bank, at Newtown before the war. Morgan!" he shouted. "Sing! God will forgive you everything, only sing!"

One of the rescue party following behind the clergyman in the tunnel shouted back to his mates:

liche regte sich als erster. Vorsichtig ging er zu den Überresten des Loches und ließ sich auf die Knie fallen.

«Morgan», sagte er leise.

Dann rief er lauter:

«Morgan!»

Da er keine Antwort bekam, fing Lewis an, den Schutt mit den Händen beiseite zu scharren.

«Morgan», schrie er, «hören Sie mich?» Er griff nach der Schaufel von einem der Männer und begann zu graben und den Dreck wegzuschaufeln. Er kaute und murrte nicht mehr. Sein Gesichtsausdruck hatte sich völlig gewandelt. «Morgan!» rief er. Er grub zwei Fuß tief, ohne dass ihn jemand gehindert hätte. Verwirrt blickten sie auf die plötzliche Raserei des kleinen Mannes, der mit affenartiger Geschicklichkeit grub, Steinstaub spuckte und sich die Fingernägel abscheuerte. Schließlich sahen sie den Spaten durch das alte Loch rutschen. Er ging gleich hinein in das Loch, um es zu erweitern, und ließ sich beim Arbeiten immer weiter hinunter. Schließlich verschwand er unter einem Vorsprung, den das herabgestürzte Gebälk bildete.

Die Leute oben konnten nichts tun. «Morgan!» hörten sie ihn rufen. «Ich bin's, Lewis, wir kommen. Hören Sie mich?» Er rief nach einer Axt, und gleich darauf hörten sie ihn damit zuschlagen. Er scharrte wie ein Hund oder ein Kaninchen.

«Dass eine solche Stimme aufgehört hat zu singen, dass sie hinüber ist!» dachte Lewis. Wie unerträglich war diese Stille. «Eine schöne stolze Stimme, die Stimme eines Mannes, eine Stimme wie ein Baum, die Seele eines Menschen, die sich breit in die Lüfte schwang wie die Zedern des Libanon. «Nur bei einem Mann habe ich einen solchen Bass gehört. Bei Owen the Bank, vor dem Krieg, in Newtown. Morgan!» rief er. «Singen Sie! Gott wird Ihnen alles vergeben, singen Sie doch bloß!»

Einer von dem Rettungstrupp, der dem Geistlichen in den unterirdischen Gang gefolgt war, rief nach hinten zu seinen Leuten:

"I can't do nothing. This bleeder's blocking the gangway."

Half an hour Lewis worked in the tunnel. Then an extraordinary thing happened to him. The tunnel grew damp and its floor went as soft as clay to the touch. Suddenly his knees went through. There was a gap with a yard of cloth, the vestry curtain or the carpet at the communion rail was unwound and hanging through it. Lewis found himself looking down into the blackness of the crypt. He lay down and put his head and shoulders through the hole and felt about him until he found something solid again. The beams of the floor were tilted down into the crypt.

"Morgan. Are you there, man?" he called.

He listened to the echo of his voice. He was reminded of the time he had talked into a cistern when he was a boy. Then his heart jumped. A voice answered him out of the darkness from under the fallen floor. It was like the voice of a man lying comfortably and waking up from a snooze, a voice thick and sleepy.

"Who's that?" asked the voice.

"Morgan, man. It's Lewis. Are you hurt?" Tears pricked the dust in Lewis's eyes and his throat ached with anxiety as he spoke. Forgiveness and love were flowing out of him. From below the deep thick voice of Morgan came back.

"You've been a hell of a long time," it said. "I've damn near finished my whisky."

"Hell" was the word which changed Mr Lewis's mind. Hell was a real thing, a real place for him. He believed in it. When he read out the word "Hell" in the Scriptures he could see the flames rising as they rise out of the furnaces at Swansea. Hell was a professional and poetic word for Mr Lewis. A man who had been turned out of the

«Ich kann nichts machen. Der alte Trottel versperrt den Weg!»

Eine halbe Stunde lang arbeitete Lewis im Gang. Dann erlebte er etwas Außerordentliches. Der Gang wurde feucht, und der Boden fühlte sich weich an wie Lehm. Plötzlich brach er bis zu den Knien ein. Da war ein Spalt, verhüllt mit einem Stück Stoff. Der Vorhang von der Sakristei oder der Teppich vor den Altarschranken hatte sich entrollt und hing durch den Spalt. Lewis merkte, dass er in die finstere Krypta hinuntersah. Er legte sich hin, zwängte Kopf und Schultern durch das Loch und tastete herum, bis er wieder etwas Festes fühlte. Die Fußbodenbalken waren in die Krypta gekippt.

«Morgan! Sind Sie da unten?» rief er.

Er horchte auf das Echo seiner Stimme. Es erinnerte ihn an die Zeit, da er als Junge in einen Brunnen hineingerufen hatte. Dann tat sein Herz einen Sprung. Eine Stimme gab ihm Antwort aus dem Dunkel unter dem abgestürzten Fußboden. Sie klang wie die Stimme eines bequem liegenden Mannes, der von einem Nickerchen aufwacht; eine dumpfe schläfrige Stimme.

«Wer ist da?» fragte die Stimme.

«Morgan, Menschenskind! Ich bin's, Lewis. Sind Sie verletzt?» Tränen brannten in Lewis' verstaubten Augen, und seine Kehle schmerzte vor ängstlicher Beklemmung, während er sprach. Er floss über vor Vergebung und Liebe. Von unten antwortete Morgans tiefe, dumpfe Stimme.

«Sie haben aber höllisch lange gebraucht», sagte die Stimme. «Mein Whisky ist schon verdammt nah am Allewerden.»

«Höllisch» – dieses Wort brachte für Lewis die Sinnesänderung. Die Hölle war für ihn eine reale Sache, ein realer Ort. Er glaubte an sie. Wenn er das Wort «Hölle» aus der Schrift vorlas, sah er die Flammen vor sich aufsteigen, so wie sie aus den Hochöfen von Swansea aufstiegen. «Hölle» war für Mr Lewis ein Fachausdruck und zugleich ein poetisches Wort. Ein von der Kirche ausgestoßener Mann

Church had no right to use it. Strong language and strong drink, Mr Lewis hated both of them. The idea of whisky being in his church made his soul rise like an angered stomach. There was Morgan, insolent and comfortable, lying (so he said) under the old altar-table, which was propping up the fallen floor, drinking a bottle of whisky.

"How did you get in?" Lewis said sharply, from the hole. "Were you in the church last night when I locked up?"

The old man sounded not as bold as he had been. He even sounded shifty when he replied, "I've got my key."

"*Your* key. I have the only key of the church. Where did you get a key?"

"My old key. I always had a key."

The man in the tunnel behind the clergyman crawled back up the tunnel to the daylight.

"O.K.," the man said. "He's got him. They're having a ruddy row."

"Reminds me of ferreting. I used to go ferreting with my old dad," said the policeman.

"You should have given that key up," said Mr Lewis. "Have you been in here before?"

"Yes, but I shan't come here again," said the old man.

There was the dribble of powdered rubble pouring down like sand in an hour-glass, the ticking of the strained timber like the loud ticking of a clock.

Mr Lewis felt that at last after years he was face to face with the devil and the devil was trapped and caught. The tick-tock of the wood went on.

"Men have been risking their lives, working and digging for hours because of this," said Lewis. "I've ruined a suit of..."

hatte nicht das Recht, es zu benutzen. Lewis verabscheute beides, starke Worte und starke Getränke. Der Gedanke an Whisky in seiner Kirche drehte ihm die Seele im Leibe um wie einen verdorbenen Magen. Dieser Morgan lag also (sagte er) dreist und bequem unter dem ehrwürdigen Altartisch, der den niedergebrochenen Fußboden zurückhielt, und trank eine Flasche Whisky.

«Wie sind Sie hereingekommen?» fragte Lewis in scharfem Ton durch das Loch. «Waren Sie gestern abend in der Kirche, als ich abschloss?»

Die Stimme des alten Mannes klang weniger unverfroren als vorher. Sie klang eher ausweichend: «Ich habe doch meinen Schlüssel.»

«*Ihren* Schlüssel? Ich habe den einzigen Schlüssel zur Kirche. Woher haben Sie einen Schlüssel?»

«Mein alter Schlüssel. Ich habe immer einen gehabt.»

Der Mann im Gang hinter dem Geistlichen kroch durch den Gang zurück ans Tageslicht.

«Alles in Butter», sagte der Mann, «er hat ihn erwischt. Sie haben sich verflucht in den Haaren.»

«Kommt mir vor wie Frettieren. Ich bin früher mit meinem Alten zum Jagen mit Frettchen gegangen», sagte der Polizist.

«Sie hätten den Schlüssel abliefern müssen», sagte Mr Lewis. «Waren Sie schon früher hier?»

«Ja, aber ich werde nicht wieder herkommen», sagte der alte Mann.

Man hörte pulverfeinen Schutt herunterrieseln wie rinnenden Sand in einem Stundenglas, dazu das Knacken der überlasteten Balken wie das laute Ticken eines Uhrwerks.

Mr Lewis fühlte, dass er endlich nach vielen Jahren dem Teufel von Angesicht zu Angesicht gegenüberstand, und dass der Teufel in einer Falle gefangen war. Das Tick-Tack des Holzes dauerte an.

«Und dafür haben Männer ihr Leben aufs Spiel gesetzt, stundenlang gearbeitet und gegraben», sagte Lewis. «Ich habe meinen Anzug ruiniert, meinen...»

The tick-tock had grown louder in the middle of the words. There was a sudden lurching and groaning of the floor, followed by a big heaving and splitting sound.

"It's going," said Morgan with detachment from below. "The table leg." The floor crashed down. The hole in the tunnel was torn wide and Lewis grabbed at the darkness until he caught a board. It swung him out and in a second he found himself hanging by both hands over the pit.

"I'm falling. Help me," shouted Lewis in terror. "Help me." There was no answer.

"Oh, God," shouted Lewis, kicking for a foothold. "Morgan, are you there? Catch me. I'm going."

Then a groan like a snore came out of Lewis. He could hold no longer. He fell. He fell exactly two feet.

The sweat ran down his legs and caked on his face. He was as wet as a rat. He was on his hands and knees gasping. When he got his breath again he was afraid to raise his voice.

"Morgan," he said quietly, panting.

"Only one leg went," the old man said in a quiet grating voice. "The other three are all right."

Lewis lay panting on the floor. There was a long silence. "Haven't you ever been afraid before, Lewis?" Morgan said. Lewis had no breath to reply. "Haven't you ever felt rotten with fear," said the old man calmly, "like an old tree, infested and worm-eaten with it, soft as a rotten orange?"

"You were a fool to come down here after me. I wouldn't have done the same for you," Morgan said.

"You would," Lewis managed to say.

"I wouldn't," said the old man. "I'm afraid. I'm an old man, Lewis, and I can't stand it. I've

Während dieser Worte war das Tick-Tack lauter geworden. Es folgte ein plötzliches Schwingen und Seufzen des Fußbodens, und dann ein lautes, stöhnendes, splitterndes Geräusch.

«Es gibt nach», sagte Morgan gelassen, «das Tischbein.» Der Fußboden stürzte ein. Das Loch im Tunnel wurde weit aufgerissen, und Lewis tastete im Dunkeln, bis er ein Brett zu fassen bekam. Es riss ihn aus dem Gang, und eine Sekunde später merkte er, dass er an den Händen über dem Abgrund hing.

«Ich fall runter, Hilfe!» schrie Lewis voller Entsetzen. «Hilfe!» Keine Antwort.

«Oh Gott», schrie Lewis, indem er mit dem Fuß nach einer Stütze suchte, «Morgan, sind Sie da? Fangen Sie mich. Ich fall runter!»

Ein schnarchendes Stöhnen entrang sich ihm. Er konnte sich nicht mehr halten. Er fiel. Er fiel genau zwei Fuß.

Der Schweiß lief ihm die Beine hinunter und klebte auf seinem Gesicht zusammen. Er war nass wie eine Ratte. Er kroch auf Händen und Knien und keuchte. Als er wieder zu Atem kam, hatte er Angst, laut zu sprechen.

«Morgan», sagte er leise und schnaufte.

«Nur ein Bein ist hin», sagte der alte Mann mit ruhiger, rauher Stimme, «die anderen drei sind in Ordnung.»

Lewis lag auf dem Boden und schnaufte. Ein langes Schweigen trat ein. «Haben Sie vorher noch nie Angst gehabt, Lewis?» fragte Morgan. Lewis hatte keine Puste zum Antworten. «Haben Sie sich nie ganz verrottet gefühlt vor Furcht», sagte der alte Mann ruhig, «wie ein alter Baum, morsch und noch dazu von Würmern zerfressen, weich wie eine verfaulte Apfelsine?»

«Sie waren schön dumm, dass Sie hier hinter mir hergekommen sind. Ich hätte das für Sie nicht getan», sagte Morgan.

«Doch, das hätten Sie», brachte Lewis heraus.

«Hätte ich nicht», sagte der alte Mann, «fürchte ich. Ich bin ein alter Mann, Lewis, ich kann das nicht aushalten.

been down here every night since the raids got bad."

Lewis listened to the voice. It was low with shame, it had the roughness of the earth, the kicked and trodden choking dust of Adam. The earth of Mr Lewis listened for the first time to the earth of Morgan. Coarsened and sordid and unlike the singing voice, the voice of Morgan was also gentle and fragmentary.

"When you stop feeling shaky," Morgan said, "you'd better sing. I'll do a bar, but I can't do much. The whisky's gone. Sing, Lewis. Even if they don't hear, it does you good. Take the tenor, Lewis."

Above in the daylight the look of pain went from the mouths of the rescue party, a grin came on the dusty lips of the warden.

"Hear it?" he said. "A ruddy Welsh choir!"

Ich bin jede Nacht hier unten gewesen, seit die Angriffe schlimm geworden sind.»

Lewis lauschte der Stimme. Sie war leise vor Scham. Sie hatte die Rauheit der Erde, des getretenen und zerstampften, erstickenden Staubes Adams. Die Erde des Mr Lewis hörte zum ersten Mal auf die Erde Morgans. Roh und gemein und ganz anders als die Singstimme, war die Stimme Morgans doch zugleich zart und brüchig.

«Wenn Sie sich nicht mehr zitterig fühlen», sagte Morgan, «ist es besser, Sie singen. Ich kann ein paar Takte mitsingen, aber nicht viele. Der Whisky ist alle. Singen Sie, Lewis. Auch wenn die oben es nicht hören; Ihnen tut es gut. Übernehmen Sie den Tenor, Lewis.»

Oben im Tageslicht verloren die Münder des Rettungstrupps den schmerzlichen Ausdruck, auf die staubigen Lippen des Kirchenvorstehers trat ein Grinsen.

«Hören Sie», sagte er, «der reinste Waliser Chor!»

"My aunt will be down presently, Mr Nuttel," said a very self-possessed young lady of fifteen; "in the meantime you must try and put up with me."

Framton Nuttel endeavoured to say the correct something which should duly flatter the niece of the moment without unduly discounting the aunt that was to come. Privately he doubted more than ever whether these formal visits on a succession of total strangers would do much towards helping the nerve cure which he was supposed to be undergoing.

"I know how it will be," his sister had said when he was preparing to migrate to this rural retreat; "you will bury yourself down there and not speak to a living soul, and your nerves will be worse than ever from moping. I shall just give you letters of introduction to all the people I know there. Some of them, as far as I can remember, were quite nice."

Framton wondered whether Mrs Sappleton, the lady to whom he was presenting one of the letters of introduction, came into the nice division.

"Do you know many of the people round here?" asked the niece, when she judged that they had had sufficient silent communion.

"Hardly a soul," said Framton. "My sister was staying here, at the rectory, you know, some four years ago, and she gave me letters of introduction to some of the people here."

He made the last statement in a tone of distinct regret.

"Then you know practically nothing about my aunt?" pursued the self-possessed young lady.

"Only her name and address," admitted the caller. He was wondering whether Mrs Sappleton

«Meine Tante wird gleich herunterkommen, Mr Nuttel», sagte eine sehr selbstbewusste junge Dame von fünfzehn Jahren. «Bis dahin werden Sie mit mir vorlieb nehmen müssen.»

Framton Nuttel suchte nach einer passenden Bemerkung, mit der er der anwesenden Nichte gebührend schmeicheln könnte, ohne dies in ungebührlicher Weise auf Kosten der zu erwartenden Tante zu tun. Insgeheim bezweifelte er mehr denn je, dass diese Serie förmlicher Besuche bei wildfremden Leuten wirklich die ihm verordnete Kur zur Erholung seiner Nerven unterstützen werde.

«Ich kann mir denken, wie das sein wird», hatte seine Schwester gesagt, als er seine Abreise in dieses ländliche Refugium vorbereitete. «Du wirst dich dort vergraben und mit keiner Menschenseele reden, und vor lauter Trübsal wird es mit deinen Nerven schlechter werden denn je. Ich gebe dir ein paar Empfehlungsbriefe an alle Leute mit, die ich dort kenne. Soweit ich mich erinnere, waren einige von ihnen recht nett.»

Framton fragte sich, ob Mrs Sappleton, die Dame, der er gerade einen solchen Empfehlungsbrief überbringen wollte, zu diesen Netten gehörte.

«Kennen Sie hier in der Gegend viele Leute?» fragte die Nichte, als sie fand, dass die stumme Zwiesprache lange genug gedauert habe.

«Fast niemanden», entgegnete Framton. «Meine Schwester hat mal hier gewohnt, im Pfarrhaus, wissen Sie, vor etwa vier Jahren, und sie hat mir Empfehlungsschreiben an einige Leute in der Gegend mitgegeben.»

Bei diesen letzten Worten schwang ein hörbares Bedauern mit.

«Dann wissen Sie also so gut wie nichts über meine Tante?» fragte sich die selbstbewusste junge Dame weiter.

«Nur ihren Namen und die Adresse», gestand der Besucher. Er hätte gern gewusst, ob Mrs Sappleton sich im

was in the married or widowed state. An undefinable something about the room seemed to suggest masculine habitation.

"Her great tragedy happened just three years ago," said the child; "that would be since your sister's time."

"Her tragedy?" asked Framton; somehow in this restful country spot tragedies seemed out of place.

"You may wonder why we keep that window wide open on an October afternoon," said the niece, indicating a large French window that opened on to a lawn.

"It is quite warm for the time of the year," said Framton; "but has that window got anything to do with the tragedy?"

"Out through that window, three years ago to a day, her husband and her two young brothers went off for their day's shooting. They never came back. In crossing the moor to their favourite snipe-shooting ground they were all three engulfed in a treacherous piece of bog. It had been that dreadful wet summer, you know, and places that were safe in other years gave way suddenly without warning. Their bodies were never recovered. That was the dreadful part of it." Here the child's voice lost its self-possessed note and became falteringly human. "Poor aunt always thinks that they will come back some day, they and the little brown spaniel that was lost with them, and walk in at that window just as they used to do. That is why the window is kept open every evening till it is quite dusk. Poor dear aunt, she has often told me how they went out, her husband with his white waterproof coat over his arm, and Ronnie, her youngest brother, singing, 'Bertie, why do you bound?' as he always did to tease her, because she said it got on her nerves. Do you know, sometimes on still, quiet

Ehe- oder im Witwenstand befand. Irgendetwas Undefinierbares an dem Zimmer schien auf männliche Bewohnerschaft hinzudeuten.

«Ihr schreckliches Erlebnis liegt erst drei Jahre zurück», sagte das Kind. «Das war also nach der Zeit Ihrer Schwester.»

«Schreckliches Erlebnis?» fragte Framton. Zu einem so ruhigen ländlichen Ort schienen Schicksalschläge irgendwie nicht zu passen.

«Sie haben sich vielleicht schon gewundert, dass wir diese Tür an einem Oktobernachmittag weit offen lassen», sagte die Nichte und deutete auf eine große Terrassentür, die in den Garten führte.

«Es ist ja recht warm für die Jahreszeit», meinte Framton. «Aber hat denn die Glastür etwas mit dem Schicksalsschlag zu tun?»

«Durch diese Tür gingen genau heute vor drei Jahren der Mann meiner Tante und ihre beiden jüngeren Brüder hinaus, um wie immer den Tag über zu jagen. Sie sind nie zurückgekehrt. Als sie übers Moor zu ihrem bevorzugten Schnepfenrevier gingen, versanken sie alle drei in dem tückischen Sumpf. Der Sommer war ja damals so schrecklich verregnet gewesen, und an Stellen, die sonst ganz harmlos waren, sank man auf einmal unversehens ein. Ihre Leichen wurden nie gefunden. Das war das Schlimmste dabei.» Jetzt klang die Stimme des Kindes nicht mehr selbstbewusst, sondern zitterte sehr menschlich. «Meine Tante glaubt, dass sie eines Tages zurückkommen, zusammen mit dem kleinen braunen Spaniel, der mit ihnen verschollen ist, und dass sie durch diese Terrassentür hereinkommen werden wie immer. Deshalb bleibt diese Tür jeden Abend offen, bis es ganz dunkel ist. Die gute, arme Tante. Wie oft hat sie mir erzählt, wie sie losgingen, ihr Mann mit dem weißen Regenmantel überm Arm, und Ronnie, ihr jüngster Bruder, der ‹Bertie, warum hüpfst du so› sang, womit er sie gern neckte, weil sie sagte, es gehe ihr auf die Nerven. Wissen Sie, an stillen, ruhigen Abenden wie heute habe ich

evenings like this, I almost get a creepy feeling that they will all walk in through that window –"

She broke off with a little shudder. It was a relief to Framton when the aunt bustled into the room with a whirl of apologies for being late in making her appearance.

"I hope Vera has been amusing you?" she said.

"She has been very interesting," said Framton.

"I hope you don't mind the open window," said Mrs Sappleton briskly; "my husband and brothers will be home directly from shooting, and they always come in this way. They've been out for snipe in the marshes today, so they'll make a fine mess over my poor carpets. So like you men-folk, isn't it?"

She rattled on cheerfully about the shooting and the scarcity of birds, and the prospects for duck in the winter. To Framton, it was all purely horrible. He made a desperate but only partially successful effort to turn the talk on to a less ghastly topic; he was conscious that his hostess was giving him only a fragment of her attention, and her eyes were constantly straying past him to the open window and the lawn beyond. It was certainly an unfortunate coincidence that he should have paid his visit on this tragic anniversary.

"The doctors agree in ordering me complete rest, an absence of mental excitement, and avoidance of anything in the nature of violent physical exercise," announced Framton, who laboured under the tolerably wide-spread delusion that total strangers and chance acquaintances are hungry for the least detail of one's ailments and infirmities, their cause and cure. "On the matter of diet they are not so much in agreement," he continued.

"No?" said Mrs Sappleton, in a voice which only replaced a yawn at the last moment. Then she

manchmal fast das unheimliche Gefühl, dass sie tatsächlich alle durch die Terrassentür hereinkommen werden...»

Mit einem leichten Schaudern verstummte sie. Framton war erleichtert, als die Tante mit einem Schwall von Entschuldigungen für ihr verspätetes Kommen ins Zimmer gestürmt kam.

«Ich hoffe, Vera hat Sie gut unterhalten?» sagte sie.

«Es war sehr interessant», entgegnete Framton. «Die offene Terrassentür macht Ihnen hoffentlich nichts aus», sagte Mrs Sappleton lebhaft. «Mein Mann und meine Brüder werden gleich von der Jagd zurück sein, und sie kommen immer dort herein. Sie haben sich heute im Moor auf Schnepfen angesetzt und werden mir meine armen Teppiche schön zurichten. Typisch Männer, finden Sie nicht?»

Sie plauderte vergnügt weiter über die Jagd und den Mangel an Schnepfen und über die Aussichten für die Entenjagd im Winter. Framton fand das alles einfach schrecklich. Er machte einen verzweifelten, aber nicht ganz erfolgreichen Versuch, das Gespräch auf ein weniger gespenstisches Thema zu lenken; er merkte, dass seine Gastgeberin ihm nur wenig Aufmerksamkeit schenkte und ihre Augen ständig an ihm vorbei zum offenen Fenster und dem dahinter liegenden Rasen schweiften. Zweifellos war es ein unseliger Zufall, dass er seinen Besuch ausgerechnet an diesem tragischen Jahrestag gemacht hatte.

«Die Ärzte haben mir übereinstimmend völlige Ruhe verordnet und geraten, ich solle seelische Beunruhigungen und schwere körperliche Anstrengungen vermeiden», erklärte Framton, der unter der weitverbreiteten Vorstellung litt, dass wildfremde Menschen und Zufallsbekanntschaften sich für alle Einzelheiten seiner Krankheiten und Leiden sowie für ihre Ursachen und Behandlungsmöglichkeiten interessierten. «Was meine Ernährung betrifft, sind sie sich nicht so einig», fuhr er fort.

«Nein?» sagte Mrs Sappleton mit einer Stimme, die erst im letzten Augenblick ein Gähnen verbarg. Dann

suddenly brightened into alert attention – but not
to what Framton was saying.

"Here they are at last!" she cried. "Just in time
for tea, and don't they look as if they were muddy
up to the eyes!"

Framton shivered slightly and turned towards
the niece with a look intended to convey sympathetic comprehension. The child was staring out
through the open window with dazed horror in
her eyes. In a chill shock of nameless fear Framton
swung round in his seat and looked in the same
direction.

In the deepening twilight three figures were
walking across the lawn towards the window; they
all carried guns under their arms, and one of them
was additionally burdened with a white coat hung
over his shoulders. A tired brown spaniel kept
close at their heels. Noiselessly they neared the
house, and then a hoarse young voice chanted out
of the dusk: "I said, Bertie, why do you bound?"

Framton grabbed wildly at his stick and hat; the
hall-door, the gravel-drive, and the front gate
were dimly noted stages in his headlong retreat.
A cyclist coming along the road had to run into
the hedge to avoid imminent collision.

"Here we are, my dear," said the bearer of the
white mackintosh, coming in through the window;
"fairly muddy, but most of it's dry. Who was that
who bolted out as we came up?"

"A most extraordinary man, a Mr Nuttel," said
Mrs Sappleton; "could only talk about his illnesses,
and dashed off without a word of good-bye or
apology when you arrived. One would think he
had seen a ghost."

"I expect it was the spaniel," said the niece calmly; "he told me he had a horror of dogs. He was
once hunted into a cemetery somewhere on the

hellte sich ihr Gesicht plötzlich auf und verriet wache Aufmerksamkeit – allerdings nicht für das, was Framton sagte.

«Da sind sie ja endlich!» rief sie. «Gerade rechtzeitig zum Tee, und es sieht wahrhaftig so aus, als hätten sie bis obenhin im Schlamm gesteckt!»

Framton überlief ein Frösteln, und er warf der Nichte einen Blick zu, der verständnisvolles Mitgefühl zum Ausdruck bringen sollte. Das Kind starrte durch die offene Terrassentür nach draußen, und in seinen Augen lag stummes Entsetzen. Von namenloser Angst gepackt, wandte sich Framton in seinem Sessel um und sah in dieselbe Richtung.

Im abendlichen Dämmerlicht kamen drei Gestalten über den Rasen auf die offene Tür zu; jeder der drei hatte eine Flinte unterm Arm, und der eine hatte außerdem einen weißen Regenmantel umgehängt. Ein müder brauner Spaniel folgte ihnen dicht auf den Fersen. Lautlos näherten sie sich dem Haus, und dann sang eine heisere junge Stimme draußen im Zwielicht: «Ich sagte, Bertie, warum hüpfst du so?»

Hastig griff Framton nach Stock und Hut. Haustür, Autoauffahrt und Gartentor waren kaum wahrgenommene Etappen auf seiner eiligen Flucht. Ein vorbeikommender Radfahrer musste in die Hecke am Straßenrand fahren, um einen Zusammenstoß zu vermeiden.

«Da sind wir wieder, meine Liebe», sagte der Mann im weißen Regenmantel, als er durch die Terrassentür kam. «Ziemlich verschmutzt, aber das meiste ist schon trocken. Wer ist denn da gerade weggerannt, als wir kamen?»

«Ein sehr sonderbarer Mensch, ein Mr Nuttel», erwiderte Mrs Sappleton. «Sprach nur von seinen Krankheiten und raste ohne ein Wort des Abschieds oder der Entschuldigung davon, als ihr kamt. Man hätte meinen können, er habe ein Gespenst gesehen.»

«Wahrscheinlich war es der Spaniel», sagte die Nichte ruhig. «Er hat mir erzählt, er habe Angst vor Hunden. Irgendwo an den Ufern des Ganges ist er einmal von einer

banks of the Ganges by a pack of pariah dogs, and had to spend the night in a newly dug grave with the creatures snarling and grinning and foaming just above him. Enough to make any one lose their nerve."

Romance at short notice was her speciality.

Meute herrenloser Hunde auf einen Friedhof gehetzt worden, wo er die ganze Nacht in einem frisch ausgehobenen
Grab zubringen musste, während ihn die knurrenden und
geifernden Köter von oben anbleckten. Da hätte doch jeder
die Nerven verloren. »

Sie verstand sich auf dramatische Stegreifgeschichten.

Oliver Bacon lived at the top of a house overlooking the Green Park. He had a flat; chairs jutted out at the right angles – chairs covered in hide. Sofas filled the bays of the windows – sofas covered in tapestry. The windows, the three long windows, had the proper allowance of discreet net and figured satin. The mahogany sideboard bulged discreetly with the right brandies, whiskeys and liqueurs. And from the middle window he looked down upon the glossy roofs of fashionable cars packed in the narrow straits of Piccadilly. A more central position could not be imagined. And at eight in the morning he would have his breakfast brought in on a tray by a man-servant; the man-servant would unfold his crimson dressing-gown; he would rip his letters open with his long pointed nails and would extract thick white cards of invitation upon which the engraving stood up roughly from duchesses, countesses, viscountesses and Honourable Ladies. Then he would wash; then he would eat his toast; then he would read his paper by the bright burning fire of electric coals.

"Behold Oliver," he would say, addressing himself. "You who began life in a filthy little alley, you who..." and he would look down at his legs, so shapely in their perfect trousers; at his boots; at his spats. They were all shapely, shining; cut from the best cloth by the best scissors in Savile Row. But he dismantled himself often and became again a little boy in a dark alley. He had once thought that the height of his ambition – selling stolen dogs to fashionable women in Whitechapel. And once he had been done. "Oh, Oliver," his mother had wailed. "Oh, Oliver! When will you have sense, my son?"... Then he had gone, behind a

Virginia Woolf: Die Herzogin und der Juwelier

Oliver lebte ganz oben in einem Haus mit weitem Blick
über den Green Park. Er hatte eine Etagenwohnung. Stühle,
die im rechten Winkel angeordnet waren – lederbezogene
Stühle. Sofas füllten die Fensternischen – mit gewirkten
Stoffen bezogene Sofas. Die Fenster, die drei hohen Fenster, trugen das rechte Maß an diskretem Tüll und geblüm-
tem Satin. Das Mahagonibüffet barg in seinen vornehmen
Rundungen die richtigen Cognacs, Whiskies und Liköre.
Und vom Mittelfenster aus blickte er auf die blanken
Dächer von vornehmen Wagen, die sich in der Enge von
Piccadilly drängten. Man konnte sich keine zentralere Lage
vorstellen. Regelmäßig um acht Uhr morgens wurde sein
Frühstück auf einem Tablett vom Diener hereingebracht;
der Diener breitete ihm dann seinen karminroten Morgen-
rock aus; er riss mit seinen langen spitzen Fingernägeln
seine Briefe auf und zog schwere weiße Einladungskarten
heraus, auf denen in kräftig erhabenem Stahlstich Herzoginnen, Gräfinnen, Vicomtessen und Ehrenwerte Ladies
standen. Dann wusch er sich, dann aß er seinen Toast; und
dann las er im hellen Schein des elektrischen Kaminfeuers
Zeitung.
   «Sieh mal an, Oliver», sagte er dann wohl zu sich. «Du,
der du dein Leben in einer schmutzigen kleinen Gasse
begonnen hast, der du...» Er pflegte dann auf seine wohl-
ge- formten Beine in ihren untadeligen Hosen zu blicken,
auf seine Schuhe, auf seine Gamaschen. Alles war vornehm
und sauber gepflegt, aus bestem Stoff von den besten
Scheren der Savile Row zugeschnitten. Aber er ließ oft alle
Pracht abfallen und sah sich wieder als kleinen Jungen in
einer dunklen Gasse. Das höchste Ziel seines Ehrgeizes,
so hatte er einst geglaubt, sei es, in Whitechapel gestohlene Hunde an feine Damen zu verkaufen. Und einmal war
er dabei hereingefallen. «Oh Oliver», hatte seine Mutter
gejammert, «wann wirst du endlich vernünftig, mein
Sohn?»... Dann war er hinter einen Ladentisch gegangen

counter; had sold cheap watches; then he had
taken a wallet to Amsterdam... At that memory
he would chuckle – the old Oliver remembering
the young. Yes, he had done well with the three
diamonds; also there was the commission on the
emerald. After that he went into the private room
behind the shop in Hatton Garden; the room
with the scales, the safe, the thick magnifying
glasses. And then... and then... He chuckled.
When he passed through the knots of jewellers in
the hot evening who were discussing prices, gold
mines, diamonds, reports from South Africa, one
of them would lay a finger to the side of his nose
and murmur, "Hum-m-m," as he passed. It was
no more than a murmur; no more than a nudge
on the shoulder, a finger on the nose, a buzz that
ran through the cluster of jewellers in Hatton
Garden on a hot afternoon – oh, many years ago
now! But still Oliver felt it purring down his
spine, the nudge, the murmur that meant, "Look
at him – young Oliver, the young jeweller –
there he goes." Young he was then. And he
dressed better and better; and had, first a hansom
cab; then a car; and first he went up to the dress
circle, then down into the stalls. And he had a
villa at Richmond, overlooking the river, with
trellises of red roses; and Mademoiselle used to
pick one every morning and stick it in his buttonhole.

"So," said Oliver Bacon, rising and stretching
his legs. "So..."

And he stood beneath the picture of an old lady
on the mantelpiece and raised his hands. "I have
kept my word," he said, laying his hands together, palm to palm, as if he were doing homage
to her. "I have won my bet." That was so; he was
the richest jeweller in England; but his nose,

und hatte billige Uhren verkauft; dann hatte er einen kleinen Lederbeutel nach Amsterdam gebracht... Bei dieser Erinnerung kicherte er jedesmal, der alte Oliver, der an den jungen dachte. Ja, er hatte wirklich sehr gut verdient an den drei Diamanten; dann war da noch die Provision auf den Smaragd. Danach war er in das Privatbüro hinter dem Laden in jener anderen Straße, Hatton Garden, gekommen, in das Büro mit den Waagschalen, dem Safe und den dicken Vergrößerungsgläsern. Und dann... und dann... Er kicherte. Wenn er an warmen Abenden durch die Gruppen der Juweliere gegangen war, die über Preise, Goldminen, Diamanten und Berichte aus Südafrika diskutierten, hatte stets einer von ihnen den Finger seitlich an die Nase gelegt und «Hm, hm» gemurmelt, während er vorbeigeschritten war. Es war nur ein leises Gemurmel gewesen, nur ein leichtes Klopfen auf die Schulter, ein Finger an der Nase, ein Summen, das durch den Schwarm der Juweliere von Hatton Garden an einem warmen Nachmittag gegangen war – oh, wie viele Jahre war das her! Aber Oliver fühlte es noch sein Rückgrat herunterrieseln, dieses Einander-Anstoßen, dieses Gemurmel, das bedeutete: «Seht ihn euch an – den jungen Oliver, den jungen Juwelier – da geht er.» Jung war er damals gewesen. Dann hatte er sich immer besser gekleidet und hatte erst eine zweirädrige offene Kutsche, später ein Auto gehabt; und erst hatte er im Rang gesessen und dann unten in den vorderen Reihen des Parketts. Und er hatte eine Villa in Richmond mit Blick über den Fluss und Spalieren voll roter Rosen; und Mademoiselle pflegte jeden Morgen eine zu pflücken und in sein Knopfloch zu stecken.

«So» sagte Oliver Bacon, indem er aufstand und seine Beine streckte. «So...»

Und er stand neben dem Bild einer alten Dame über dem Kaminsims und hob die Hände. «Ich habe mein Wort gehalten», sagte er und legte die Hände flach aneinander, als bringe er ihr eine Huldigung dar. «Ich habe meine Wette gewonnen.» Es stimmte schon, er war der reichste Juwelier von England, aber seine Nase, die lang und schmiegsam

which was long and flexible, like an elephant's trunk, seemed to say by its curious quiver at the nostrils (but it seemed as if the whole nose quivered, not only the nostrils) that he was not satisfied yet; still smelt something under the ground a little further off. Imagine a giant hog in a pasture rich with truffles; after unearthing this truffle and that, still it smells a bigger, a blacker truffle under the ground further off. So Oliver snuffed always in the rich earth of Mayfair another truffle, a blacker, a bigger further off.

Now then he straightened the pearl in his tie, cased himself in his smart blue overcoat; took his yellow gloves and his cane; and swayed as he descended the stairs and half snuffed, half sighed through his long sharp nose as he passed out into Piccadilly. For was he not still a sad man, a dissatisfied man, a man who seeks something that is hidden, though he had won his bet?

He swayed slightly as he walked, as the camel at the zoo sways from side to side when it walks along the asphalt paths laden with grocers and their wives eating from paper bags and throwing little bits of silver paper crumpled up on to the path. The camel despises the grocers; the camel is dissatisfied with its lot; the camel sees the blue lake and the fringe of palm trees in front of it. So the great jeweller, the greatest jeweller in the whole world, swung down Piccadilly, perfectly dressed, with his gloves, with his cane; but dissatisfied still, till he reached the dark little shop, that was famous in France, in Germany, in Austria, in Italy, and all over America – the dark little shop in the street off Bond Street.

As usual he strode through the shop without speaking, though the four men, the two old men, Marshall and Spencer, and the two young men,

war wie ein Elefantenrüssel, schien mit dem eigenartigen Zucken um die Nasenflügel (es hatte allerdings den Anschein, als zuckte die ganze Nase, nicht nur die Nasenflügel) zu sagen, dass er noch nicht befriedigt war; er witterte immer noch etwas unter der Erde, ein Stückchen weiter. Man stelle sich ein riesiges Schwein auf einer trüffelreichen Wiese vor: auch wenn es schon die eine oder andere Trüffel herausgewühlt hat, wittert es doch eine noch dickere, noch schwärzere Trüffel in der Erde, weiter weg. Ebenso witterte Oliver in der festen Erde von Mayfair immer noch eine Trüffel, eine schwärzere, dickere Trüffel, weiter weg.

Jetzt aber steckte er die Perle in seinem Schlips gerade, hüllte sich in seinen eleganten blauen Mantel und griff nach seinen gelben Handschuhen und seinem Stock; er schwankte, als er die Treppe hinabging, und machte ein halb schnaufendes, halb seufzendes Geräusch durch seine lange, scharfe Nase, als er das Haus verließ und Piccadilly betrat. Denn war er nicht, obwohl er seine Wette gewonnen hatte, immer noch ein trauriger Mann, ein unbefriedigter Mann, ein Mann, der etwas Verborgenes sucht?

Auch beim Gehen schwankte er ein wenig, so wie ein Kamel im Tierpark von einer Seite zur anderen schwankt, wenn es die asphaltierten Wege entlangschreitet, auf denen brave Kolonialwarenhändler mit ihren Frauen aus Papiertüten essen und kleine zerknüllte Stücke Silberpapier auf den Weg werfen. Das Kamel verachtet diese Krämer, das Kamel ist mit seinem Schicksal unzufrieden, das Kamel sieht den blauen See vor sich und den Palmenhain. Ebenso schaukelte der große Juwelier, der größte Juwelier der Welt, tadellos angezogen, mit Handschuhen und Stock, und doch noch unbefriedigt, Piccadilly hinunter, bis zu dem dunklen kleinen Laden, der berühmt war in Frankreich, Deutschland, Österreich, Italien und ganz Amerika – dem dunklen kleinen Laden in einer Seitenstraße der Bond Street.

Wie gewöhnlich ging er, ohne zu sprechen, stracks durch den Laden, vorbei an den vier Herren, den beiden alten Herren Marshall und Spencer und den beiden jungen Herren

Hammond and Wicks, stood straight behind the counter as he passed and looked at him, envying him. It was only with one finger of the amber-coloured glove, waggling, that he acknowledged their presence. And he went in and shut the door of his private room behind him.

Then he unlocked the grating that barred the window. The cries of Bond Street came in; the purr of the distant traffic. The light from reflectors at the back of the shop struck upwards. One tree waved six green leaves, for it was June. But Mademoiselle had married Mr Pedder of the local brewery – no one stuck roses in his buttonhole now.

"So," he half sighed, half snorted, "so..."

Then he touched a spring in the wall and slowly the panelling slid open, and behind it were the steel safes, five, no, six of them, all of burnished steel. He twisted a key; unlocked one; then another. Each was lined with a pad of deep crimson velvet; in each lay jewels – bracelets, necklaces, rings, tiaras, ducal coronets; loose stones in glass shells; rubies, emeralds, pearls, diamonds. All safe, shining, cool, yet burning, eternally, with their own compressed light.

"Tears!" said Oliver, looking at the pearls.

"Heart's blood!" he said, looking at the rubies.

"Gunpowder!" he continued, rattling the diamonds so that they flashed and blazed.

"Gunpowder enough to blow up Mayfair – sky high, high, high!" He threw his head back and made a sound like a horse neighing as he said it.

The telephone buzzed obsequiously in a low muted voice on his table. He shut the safe.

"In ten minutes," he said. "Not before." And he sat down at his desk and looked at the heads

Hammond und Wicks, die aufrecht dastanden und ihn neidvoll anblickten. Nur mit dem Wippen eines Fingers im bernsteinfarbenen Handschuh nahm er ihre Gegenwart zur Kenntnis. Er betrat sein Privatbüro und machte die Tür hinter sich zu.

Dann schloss er das Gitter auf, mit dem das Fenster versperrt war. Die Rufe aus der Bond Street und das Schnurren des fernen Verkehrs kamen herein. Das Licht von den Scheinwerfern hinten im Laden drang nach oben. Der eine Baum bewegte seine sechs grünen Blätter, denn es war Juni. Aber Mademoiselle hatte Mr Pedder von der Brauerei am Ort geheiratet – niemand steckte ihm jetzt Rosen ins Knopfloch.

«So.» Halb geseufzt, halb geschnauft: «So –»

Dann drückte er auf eine Feder in der Wand; langsam glitt die Täfelung auseinander, und dahinter erschienen die Stahlschränke, fünf, nein sechs waren es, alle aus brüniertem Stahl. Er drehte einen Schlüssel und öffnete erst einen, dann noch einen. Jeder war mit einem Polster von karminrotem Samt ausgeschlagen, in jedem lagen Juwelen – Armbänder, Halsketten, Ringe, hohe Diademe, Herzogskronen; ungefasste Steine in Glasschälchen; Rubine, Smaragde, Perlen, Diamanten. Alle sicher verwahrt, schimmernd, kühl und doch auf ewig brennend in ihrem eigenen komprimierten Licht.

«Tränen!» sagte Oliver und blickte auf die Perlen.

«Herzblut!» sagte er und blickte auf die Rubine.

«Schießpulver!» fuhr er fort und rasselte mit den Diamanten, dass sie blitzten und loderten.

«Genug Schießpulver, um Mayfair in die Luft zu jagen – himmelhoch, hoch, hoch!» Er warf den Kopf zurück, und während er das sagte, gab er einen Ton von sich wie ein wieherndes Pferd.

Das Telephon auf seinem Tisch summte unterwürfig mit leiser, erstickter Stimme. Er schloss den Safe.

«In zehn Minuten», sagte er, «nicht früher.» Und er setzte sich an seinen Tisch und blickte auf die Köpfe der

of the Roman emperors that were graved on his
sleeve links. And again he dismantled himself
and became once more the little boy playing marb-
les in the alley where they sell stolen dogs on
Sunday. He became that wily astute little boy,
with lips like wet cherries. He dabbled his fingers
in ropes of tripe; he dipped them in pans of frying
fish; he dodged in and out among the crowds. He
was slim, lissome, with eyes like licked stones.
And now – now – the hands of the clock ticked
on. One, two, three, four... The Duchess of Lambourne waited his pleasure; the Duchess of Lambourne, daughter of a hundred Earls. She would
wait for ten minutes on a chair at the counter. She
would wait his pleasure. She would wait till he was
ready to see her. He watched the clock in its sha-
green case. The hand moved on. With each tick the
clock handed him – so it seemed – pâté de foie
gras; a glass of champagne; another of fine brandy;
a cigar costing one guinea. The clock laid them on
the table beside him, as the ten minutes passed.
Then he heard soft slow footsteps approaching; a
rustle in the corridor. The door opened. Mr Hammond flattened himself against the wall.

"Her Grace!" he announced.

And he waited there, flattened against the wall.

And Oliver, rising, could hear the rustle of the
dress of the Duchess as she came down the passage. Then she loomed up, filling the door, filling
the room with the aroma, the prestige, the arro-
gance, the pomp, the pride of all the Dukes and Duchesses swollen in one wave. And as a wave breaks,
she broke, as she sat down, spreading and splash-
ing and falling over Oliver Bacon the great jeweller, covering him with sparkling bright colours,
green, rose, violet; and odours; and iridescences;
and rays shooting from fingers, nodding from

römischen Kaiser, die in seine Manschettenknöpfe graviert waren. Und wieder ließ er alle Pracht abfallen und wurde noch einmal der kleine Junge, der mit Murmeln in der Gasse spielt, in der am Sonntag gestohlene Hunde verkauft werden. Er wurde wirklich dieser verschlagene, kleine Junge mit Lippen wie nasse Kirschen. Er wühlte mit den Fingern in Strängen von Eingeweiden, er tauchte sie in Pfannen mit brutzelndem Fisch, er lief im Zickzack durch die Menschenmenge. Er war schlank und geschmeidig, hatte Augen wie gelleckte Kiesel. Und jetzt – jetzt – die Zeiger der Uhr tickten weiter, eins, zwei, drei, vier... Die Herzogin von Lambourne wartete, bis es ihm belieben würde, die Herzogin von Lambourne, Tochter von hundert Grafen. Sie würde zehn Minuten auf einem Stuhl am Ladentisch warten. Sie würde warten, bis es ihm beliebte. Sie würde warten, bis er bereit war, sie zu empfangen. Er beobachtete die Uhr in ihrem mit Chagrinleder bezogenen Gehäuse. Der Zeiger rückte weiter. Mit jedem Ticken reichte ihm die Uhr – so schien es – Gänseleberpastete, einen Kelch Champagner, ein Glas alten Cognac, eine Zigarre zu einer Guinee. Die Uhr legte das alles neben ihm auf den Tisch, während die zehn Minuten verstrichen. Dann hörte er, wie sich weiche bedächtige Schritte näherten, ein Rascheln im Flur. Die Tür ging auf. Mr Hammond drückte sich flach gegen die Wand.

«Ihre Gnaden», meldete er.

Und er wartete dort, flach gegen die Wand gedrückt.

Und Oliver konnte im Aufstehen das Kleid der Herzogin rascheln hören, während sie den Gang entlangkam. Dann erschien sie und füllte die Tür, den ganzen Raum mit dem Duft, mit dem Nimbus, dem Hochmut, dem Prunk und dem Stolz aller Herzöge und Herzoginnen, aufgetürmt zu einer einzigen Welle. Und wie eine Welle sich bricht, so brach sie im Hinsetzen rinnend und sprühend und verrauschend über Oliver Bacon, dem großen Juwelier, zusammen und überschüttete ihn mit glitzernden hellen Farben, grün, rot, violett; und mit Düften; und dem Spektrum des Regenbogens: Strahlen schossen von ihren Fingern, kamen

plumes, flashing from silk; for she was very large, very fat, tightly girt in pink taffeta, and past her prime. As a parasol with many flounces, as a peacock with many feathers, shuts its flounces, folds its feathers, so she subsided and shut herself as she sank down in the leather armchair.

"Good morning, Mr Bacon," said the Duchess. And she held out her hand which came through the slit of her white glove. And Oliver bent low as he shook it. And as their hands touched the link was forged between them once more. They were friends, yet enemies; he was master, she was mistress; each cheated the other, each needed the other, each feared the other, each felt this and knew this every time they touched hands thus in the little back room with the white light outside, and the tree with its six leaves, and the sound of the street in the distance and behind them the safes.

"And today, Duchess – what can I do for you today?" said Oliver, very softly.

The Duchess opened her heart, her private heart, gaped wide. And with a sigh, but no words, she took from her bag a long wash-leather pouch – it looked like a lean yellow ferret. And from a slit in the ferret's belly she dropped pearls – ten pearls. They rolled from the slit in the ferret's belly – one, two, three, four – like the eggs of some heavenly bird.

"All that's left me, dear Mr Bacon," she moaned. Five, six, seven – down they rolled, down the slopes of the vast mountain sides that fell between her knees into one narrow valley – the eighth, the ninth, and the tenth. There they lay in the glow of the peach-blossom taffeta. Ten pearls.

"From the Appleby cincture," she mourned. "The last... the last of them all."

Oliver stretched out and took one of the pearls

nickend von Federn und blitzend von Seide; denn sie war sehr breit, sehr fett, eng in rosa Taft gewickelt – nicht mehr im Lenz des Lebens. Wie ein Sonnenschirm mit vielen Falbeln oder ein Pfau mit vielen Federn die Falbeln falten oder die Federn zusammenlegen, so faltete sie sich und sank sie zusammen, als sie sich in den Ledersessel fallen ließ.

«Guten Morgen, Mr Bacon», sagte die Herzogin. Und sie streckte ihre Hand hin, die aus dem Einschnitt ihres weißen Handschuhs quoll. Oliver verneigte sich tief, als er sie schüttelte. Und mit der Berührung ihrer Hände war das Band zwischen ihnen aufs neue geknüpft. Sie waren Freunde und doch Feinde; er war der Herr, sie die Herrin; jeder von beiden betrog den anderen, jeder brauchte den anderen, jeder fürchtete den anderen, jeder fühlte es und jeder wusste es, so oft ihre Hände sich berührten in dem kleinen Hinterzimmer mit dem weißen Licht von draußen, dem Baum mit den sechs Blättern, dem Geräusch der Straße in der Ferne und den Stahlschränken hinter ihnen.

«Und heute, Herzogin – was kann ich heute für Sie tun?» fragte Oliver sehr sanft.

Die Herzogin öffnete ihr Herz, weit offen stand ihr ganz privates Herz. Und mit einem Seufzer, aber ohne Worte, nahm sie aus der Handtasche ein langes waschledernes Säckchen – es sah aus wie ein schmales gelbes Frettchen. Und aus einem Schlitz im Bauch des Frettchens schüttelte sie Perlen – zehn Perlen. Sie rollten aus dem Schlitz im Bauch des Frettchens – eins, zwei, drei, vier – wie die Eier eines himmlischen Vogels.

«Das ist alles, was ich noch habe, lieber Mr Bacon», stöhnte sie. Fünf, sechs, sieben – da rollten sie hinab, die Neigung der Berghänge hinab, die sich zwischen den Knien der Herzogin zu einem engen Tal vereinigten – die achte, die neunte, die zehnte. Da lagen sie im Glanze des Pfirsichblütentafts. Zehn Perlen.

«Vom Appleby-Gürtel», klagte sie. «Die letzten… die allerletzten.»

Oliver streckte die Hand aus und nahm eine von den Per-

between finger and thumb. It was round, it was lustrous. But real was it, or false? Was she lying again? Did she dare?

She laid her plump padded finger across her lips. "If the Duke knew..." she whispered. "Dear Mr Bacon, a bit of bad luck ..."

Been gambling again, had she?

"That villain! That sharper!" she hissed.

The man with the chipped cheek bone? A bad 'un. And the Duke was straight as a poker; with side whiskers; would cut her off, shut her up down there if he knew – what I know, thought Oliver, and glanced at the safe.

"Araminta, Daphne, Diana," she moaned. "It's for *them*."

The Ladies Araminta, Daphne, Diana – her daughters. He knew them; adored them. But it was Diana he loved.

"You have all my secrets," she leered. Tears slid; tears fell; tears, like diamonds, collecting powder in the ruts of her cherry-blossom cheeks.

"Old friend," she murmured, "old friend."

"Old friend," he repeated, "old friend," as if he licked the words.

"How much?" he queried.

She covered the pearls with her hand.

"Twenty thousand," she whispered.

But was it real or false, the one he held in his hand? The Appleby cincture – hadn't she sold it already? He would ring for Spencer or Hammond. "Take it and test it," he would say. He stretched to the bell.

"You will come down tomorrow?" she urged, she interrupted. "The Prime Minister – His Royal Highness..." She stopped. "And Diana," she added.

Oliver took his hand off the bell.

len zwischen Mittelfinger und Daumen. Sie war rund, sie glänzte. Aber war sie echt oder falsch? Log die Herzogin wieder? Wagte sie es?

Sie legte ihren plumpen, wulstigen Finger auf die Lippen. «Wenn der Herzog das wüsste…» flüsterte sie. «Lieber Mr Bacon, ein bisschen Pech…»

Hatte sie also wieder gespielt?

«Dieser Schurke! Dieser Schwindler!» zischte sie.

Der Mann mit dem zerhauenen Backenknochen? Ein böser Kerl. Und der Herzog mit seinem Backenbart war gerade und steif wie ein Kamin-Stocher und würde sie enterben und sie da unten einsperren, wenn er wüsste – was ich weiß, dachte Oliver und blickte auf den Safe.

«Araminta, Daphne, Diana», stöhnte sie, «für *sie* tue ich es.»

Die Damen Araminta, Daphne und Diana – ihre Töchter. Er kannte sie und betete sie an. Aber Diana liebte er.

«Sie kennen alle meine Geheimnisse», sagte sie blinzelnd. Tränen kullerten, Tränen fielen; Tränen wie Diamanten, die den Puder in den Furchen ihrer Kirschblütenwangen zusammenlaufen ließen.

«Alter Freund», murmelte sie, «alter Freund.»

«Alter Freund», wiederholte er, «alter Freund», als ob er die Worte aufleckte.

«Wieviel?» fragte er.

Sie bedeckte die Perlen mit der Hand,

«Zwanzigtausend», flüsterte sie.

Aber war sie nun echt oder falsch, diese hier, die er in der Hand hielt? Der Appleby-Gürtel – hatte sie den nicht schon verkauft? Er würde nach Spencer oder Hammond läuten. «Nehmen Sie dies und prüfen Sie es», würde er sagen. Er griff nach der Glocke.

«Sie kommen doch morgen zu uns?» fragte sie eindringlich und unterbrach ihn. «Der Premierminister – seine Königliche Hoheit…» Sie hielt inne. «Und Diana… » setzte sie hinzu.

Oliver nahm die Hand von der Glocke.

He looked past her, at the backs of the houses in Bond Street. But he saw, not the houses in Bond Street, but a dimpling river; and trout rising and salmon; and the Prime Minister; and himself too; in white waistcoats; and then, Diana. He looked down at the pearl in his hand. But how could he test it, in the light of the river, in the light of the eyes of Diana? But the eyes of the Duchess were on him.

"Twenty thousand," she moaned. "My honour!"

The honour of the mother of Diana! He drew his cheque book towards him; he took out his pen.

"Twenty," he wrote. Then he stopped writing. The eyes of the old woman in the picture were on him – of the old woman, his mother.

"Oliver!" she warned him. "Have sense! Don't be a fool!"

"Oliver!" the Duchess entreated – it was "Oliver" now, not "Mr Bacon". "You'll come for a long week-end?"

Alone in the woods with Diana! Riding alone in the woods with Diana!

"Thousand," he wrote, and signed it.

"Here you are," he said.

And there opened all the flounces of the parasol, all the plumes of the peacock, the radiance of the wave, the swords and spears of Agincourt, as she rose from her chair. And the two old men and the two young men, Spencer and Marshall, Wicks and Hammond, flattened themselves behind the counter envying him as he led her through the shop to the door. And he waggled his yellow glove in their faces, and she held her honour – a cheque for twenty thousand pounds with his signature – quite firmly in her hands.

"Are they false or are they real?" asked Oliver, shutting his private door. There they were, ten

Er blickte hinter ihr auf die Rückfront von den Häusern der Bond Street. Aber er sah nicht die Häuser der Bond Street, er sah einen leicht gekräuselten Fluss und springende Forellen und Lachse und den Premierminister und auch sich selbst in weißer Weste – und Diana. Er blickte auf die Perle in seiner Hand. Aber wie sollte er sie prüfen im Glanz des Flusses, im Glanz von Dianas Augen? Und die Augen der Herzogin lagen auf ihm.

«Zwanzigtausend», stöhnte sie. «Meine Ehre!»

Die Ehre von Dianas Mutter! Er zog sein Scheckheft heran und nahm seinen Federhalter heraus.

«Zwanzig –», schrieb er. Dann hörte er auf zu schreiben. Die Augen der alten Frau auf dem Bild lagen auf ihm – der alten Frau, seiner Mutter.

«Oliver!» warnte sie ihn. «Sei vernünftig! Sei kein Narr!»

«Oliver!» flehte die Herzogin – «Oliver» sagte sie jetzt, nicht «Mr Bacon». «Sie kommen doch auf ein verlängertes Wochenende?»

Allein im Wald mit Diana! Allein mit Diana durch die Wälder reiten!

«Tausend», schrieb er und unterzeichnete den Scheck.

«Hier», sagte er.

Und schon gingen alle Falbeln des Sonnenschirms auf, alle Federn des Pfaus, der Glanz der Welle und die Schwerter und Lanzen von Azincourt, als sie sich nun von ihrem Stuhl erhob. Und die beiden alten Herren und die beiden jungen Herren, Spencer und Marshall, Wicks und Hammond, drückten sich hinter den Ladentisch und beneideten ihn, wie er sie durch das Geschäft zur Tür führte. Und er wippte mit seinen gelben Handschuhen vor ihren Augen, und sie hielt ihre Ehre – einen Scheck auf zwanzigtausend Pfund mit seiner Unterschrift – ganz fest in der Hand.

«Sind sie nun falsch oder sind sie echt?» fragte Oliver, indem er die Tür seines Privatbüros schloss. Da lagen sie,

pearls on the blotting paper on the table. He took them to the window. He held them under his lens to the light... This, then, was the truffle he had routed out of the earth! Rotten at the centre – rotten at the core!

"Forgive me, oh my mother!" he sighed, raising his hands as if he asked pardon of the old woman in the picture. And again he was a little boy in the alley where they sold dogs on Sunday.

"For," he murmured, laying the palms of his hands together, "it is to be a long week-end."

die zehn Perlen, auf dem Löschpapier auf seinem Tisch. Er nahm sie ans Fenster. Er hielt sie unter seiner Lupe ans Licht... Das also war nun die Trüffel, die er aus der Erde gewühlt hatte! Morsch im Zentrum – morsch bis ins Mark!

«Vergib mir, oh, Mutter!» seufzte er und hob die Hände, als bäte er die alte Frau auf dem Bild um Verzeihung. Und wieder war er ein kleiner Junge in der Gasse, in der am Sonntag gestohlene Hunde verkauft wurden.

«Bedenke», flüsterte er, indem er die Handflächen aufeinander legte, «es soll ein langes Wochenende werden.»

Anmerkungen

zu Bates
Seite 6/7   Der Titel der Erzählung ist der Beginn eines Ge-
dichtes von Edmund Waller.

zu Lawrence
Seite 66, Zeile 1   *Midlands* – Industriereiche Grafschaften
in Zentralengland, u. a. mit großen Kohlevorkommen.
Seite 70, Zeile 20   *Thermopylæ* – Enge Pass-Straße zwischen Mittel- und Nordgriechenland, im Altertum als
leicht zu sperrendes Einfallstor von größter militärischer
Bedeutung.
Seite 72, Zeile 14 und 15   *John Thomas, Coddy* – Coddy
kann mit dem Wort *cod* in Verbindung gebracht werden,
das umgangssprachlich «Vorarbeiter», regional auch
«Freund, Kumpel» bedeutet, aber auch einen (plumpen,
dreisten) Scherz bezeichnet; daneben sind *cod* und *John
Thomas* derb umgangssprachliche Bezeichnungen für
die männlichen Genitalien.
Seite 74, Zeile 9   *Statutes fair* – Ursprünglich ein jähr-
licher Markt, auf dem Dienstboten ihre Arbeit anbieten
konnten.

zu Woolf
Seite 178, Zeile 2   *Green Park* – Westlich und nördlich des
Buckingham Palace gelegener Park.
Seite 178, Zeile 11   *Piccadilly* – Elegante Geschäftsstraße
im Londoner West End zwischen Piccadilly Circus und
Hyde Park.
Seite 178, Zeile 8 v. u.   *Savile Row* – Straße im West End,
in der zahlreiche vornehme Herrenschneider ihr Atelier
haben.
Seite 178, Zeile 4 v. u.   *Whitechapel* – Stadtteil im Osten
Londons, lange Zeit ein Elendsviertel.
Seite 180, Zeile 7   *Hatton Garden* – Zentrum des Londoner
Diamantenhandels.

Seite 180, Zeile 26 *Richmond* – Westlich von London an der Themse gelegene kleine Stadt.

Seite 182, Zeile 10 *Mayfair* – Elegantes Wohnviertel, das im Norden von der Oxford Street, im Westen von Hyde Park und im Süden von Piccadilly begrenzt wird.

Seite 182, Zeile 4 v. u. *Bond Street* – Teure Einkaufsstraße im Londoner West End.

Seite 186, Zeile 20 *guinea* – Ursprünglich eine Goldmünze, seit Anfang des 19. Jahrhunderts nur noch eine Recheneinheit (21 Shilling) bei Preisangaben für Luxusartikel oder bei Honorarrechnungen.

Seite 192, Zeile 26 *Agincourt* – Dorf in Nordfrankreich (französ. *Azincourt*), wo Heinrich V. von England 1415 über das weit stärkere französische Heer siegte.

Bio-bibliografische Notizen

H(erbert) E(rnest) Bates (1905-1974) war erst 21 Jahre alt, als sein erster Roman, *The Two Sisters* erschien. Eine Zeitlang verdiente er sich seinen Unterhalt noch als Journalist bei einer Provinzzeitung und als Lagerverwalter, aber schon bald hatte er mit den Romanen, Essays und Kurzgeschichten, die er in rascher Folge veröffentlichte, soviel Erfolg, dass er sich ganz der Schriftstellerei widmen konnte. Anfangs waren es seine liebevollen Schilderungen des kleinstädtischen und ländlichen Lebens in England, die ihn bekannt machten; nach dem Krieg wandte er sich auch anderen Stoffen und Schauplätzen zu. Von seinen Romanen, die in viele Sprachen übersetzt wurden, sind besonders bekannt: *Fair Stood the Wind for France* (1944), *The Jacaranda Tree* (1949), *The Scarlet Sword* (1950), *The Darling Buds of May* (1958) und *Oh! To Be in England* (1963). Sein besonderes Erzähltalent kommt jedoch in seinen unzähligen Kurzgeschichten zum Vorschein, die an denen von Maupassant und Tschechow geschult sind und dem Vergleich mit ihnen durchaus standhalten.
© Laurence Pollinger. Lizenz durch Mohrbooks, Zürich.
Rechte an der Übersetzung: Deutscher Taschenbuch Verlag.

E(dward) M(organ) Forster (1879-1970) verbrachte nach dem Studium am King's College, Cambridge, mehrere Jahre in Italien und Griechenland. Den Kontrast zwischen den erstarrten Konventionen des englischen Bürgertums und der südländischen Leichtigkeit und Vitalität, den er dort erlebte, hat er in mehreren Romanen thematisiert, u. a. in *Where Angels Fear to Tread* (1905) und *A Room with a View* (1908). Auch in *Howard's End* (1910) zeichnet er ein kritisches Bild der englischen Mittelschicht vor dem ersten Weltkrieg. Forsters bedeutendstes Werk ist *A Passage to India* (1924), einer der großen Romane des 20. Jahrhunderts. Im Mittelpunkt steht dort die Begegnung von westlichem und östlichem Denken und die Frage nach der Überwindbarkeit von kulturellen und religiösen Gegensätzen. Diesem Roman folg-

ten keine größeren literarischen Werke mehr. Forster veröffentlichte jedoch Kurzgeschichten, die gesammelt 1970 erschienen, sowie zahlreiche literatur- und kulturkritische Essays und Reiseskizzen.

ALDOUS HUXLEY (1894-1963) stammte aus einer Familie, die mehrere wissenschaftliche und literarische Talente hervorgebracht hat. Sein Großvater Thomas Henry Huxley war Naturwissenschaftler und trug wesentlich zur Verbreitung der Lehre seines Freundes Charles Darwin bei; sein Vater Leonard Huxley, ein klassischer Philologe, gab die einflussreiche literarische Zeitschrift *Cornhill Magazine* heraus; und durch seine Mutter Julia Arnold war Huxley mit Matthew Arnold und der Schriftstellerin Mrs Humphrey Ward verwandt. – In den 20er Jahren erregte er mit zeitkritischen Romanen wie *Crome Yellow* (1921), *Antic Hay* (1923) und vor allem *Point Counter Point* (1928) Aufmerksamkeit. Anhaltender Erfolg war insbesondere seiner Anti-Utopie *Brave New World* aus dem Jahre 1932 beschieden. In späteren Jahren schrieb Huxley, der zunächst in Italien und Frankreich und dann in Kalifornien lebte, neben weiteren Romanen eine große Zahl von essayistischen Werken, in denen er sich u. a. kritisch mit der Entwicklung der westlichen Kultur und mit religiösen Themen auseinandersetzte (*After Many a Summer*, 1939; *Science, Liberty and Peace*, 1946; *Ape and Essence*, 1948). Seine Kurzgeschichten, die in den 20er Jahren entstanden, erschienen gesammelt unter dem Titel *Brief Candles* (1930).

D(AVID) H(ERBERT) LAWRENCE (1885-1930) wuchs in Nottinghamshire auf, wo alte ländliche Traditionen und die Lebensverhältnisse von Industriearbeitern aufeinandertrafen. Sein

Vater war Grubenarbeiter, seine Mutter Lehrerin aus einer bürgerlichen Familie. Die Spannungen, die sich hieraus ergaben, haben Lawrence nachhaltig beeinflusst, wie z. B. sein autobiografischer Roman *Sons and Lovers* (1913) zeigt. Zeit seines Lebens führte er mit seiner Frau ein unstetes Wanderleben, das ihn in verschiedene südeuropäische Länder und dann nach Übersee führte. 1930 starb Lawrence, erst 44 Jahre alt, in Frankreich an einem Lungenleiden. Die Eindrücke seiner vielen Reisen hat er in mehreren Büchern festgehalten. Zu seinen bekanntesten Romanen, die sehr freimütig das Verhältnis zwischen den Geschlechtern untersuchen und deshalb anfangs Skandale auslösten, gehören *The Rainbow* (1915), *Women in Love* (1920) und *Lady Chatterley's Lover* (1928). Daneben verfasste Lawrence eine große Zahl von Erzählungen und Novellen, aber auch Essays zu Themen der modernen Kultur (z. B. *Psychoanalysis and the Unconscious*, 1921; *Pornography and Obscenity*, 1929). Nicht zuletzt verdienen seine Gedichte Beachtung.

KATHERINE MANSFIELD wurde 1888 in Wellington (Neuseeland) geboren und starb 1923, 35jährig, in Fontainebleau an Tuberkulose. Sie kam als junges Mädchen nach London, um dort ihre Ausbildung abzuschließen, und fand danach das Leben in Wellington zu eng. 1908 kehrte sie endgültig nach Europa zurück. Ihr erstes Buch, *In a German Pension*, erschien 1911. Ab 1912 schrieb sie für die Zeitschrift *Rhythm*, deren Herausgeber John Middleton Murry sie später heiratete. Sie war eine bewusste Vertreterin der Moderne, die mit Kunst- wie Lebensformen experimentierte, und zu ihren gleichgesinnten Freunden zählten D. H. Lawrence und Virginia Woolf. Schon früh hatte Katherine Mansfield zur Kurzgeschichte als der ihr gemäßen Ausdrucksform gefunden und einen eigenen, unverwechselbaren Stil entwickelt. Ihr zweiter Band mit Erzählungen, *Bliss*, kam 1921 heraus, und ein

dritter, *The Garden Party*, folgte im Jahr darauf. Zwei weitere Bände wurden nach ihrem Tod veröffentlicht.
Deutsche Rechte: Deutscher Taschenbuch Verlag.

WILLIAM SOMERSET MAUGHAM wurde 1874 geboren und verbrachte seine Kindheit in Paris. Er besuchte die renommierte King's School in Cambridge und studierte dann in Heidelberg Medizin. Eine Zeitlang praktizierte er an einem Londoner Krankenhaus, aber nach dem Erfolg seines ersten Romans, *Liza of Lambeth* (1897) entschied er sich für die Schriftstellerei. Sein erstes Meisterwerk, *Of Human Bondage*, erschien 1915, und als vier Jahre später *The Moon and Sixpence* veröffentlicht wurde, war sein Ruf als Romancier gesichert. Gleichzeitig machte er sich mit sehr erfolgreichen Theaterstücken einen Namen als Bühnenautor. Am vielleicht dauerhaftesten hat sich aber sein Ruhm als Verfasser von pointierten Kungeschichten in der Tradition Guy de Maupassants erwiesen. Eine erste Sammlung erschien 1921 unter dem Titel *The Trembling of a Leaf. Little Stories of the South Sea Islands*. Diesem Band folgten mehr als zehn weitere. Maugham ließ sich bereits 1927 in Südfrankreich nieder, wo er 1965 starb.
© A. P. Watt & Sons. Lizenz durch die Agentur Mohrbooks, Zürich, mit Einverständnis des Diogenes Verlages, Zürich, wo die Erzählung in anderer Übersetzung erschienen ist.
Deutsche Rechte: Diogenes.

V(ICTOR) S(AWDON) PRITCHETT (1900-1997) stammte von der englischen Ostküste. Nach dem Schulbesuch in London ging er schon bald als Zeitungskorrespondent nach Frankreich, Spanien und Irland. Später leitete er das Literaturressort und war schließlich Chefredakteur beim renommierten *New Statesman*. Sein erstes Buch, das er mit 28 Jahren schrieb, schildert seine Reisen in Spanien. Weitere Reisebücher und Städteporträts folgten, u. a. *London Perceived* (1962), *Foreign Faces* (1964) und *Dublin: A Portrait* (1967). Zu seinen Romanen gehören *Nothing Like Leather* (1935),

Dead Man Leading (1937) und *Mr Beluncle* (1951). Als Autor von Kurzgeschichten, die er in zehn Bänden veröffentlichte, gehört er zu Meistern dieses Genres in England.
© Peters Frazer & Dunlop Group Ltd., London. Rechte an der Übersetzung: Langewiesche-Brandt.

«SAKI» war das Pseudonym für Hector Hugh Munro, der 1870 in Burma geboren wurde, wo sein Vater als Offizier in der Kolonialpolizei diente. Schon früh wurde Munro nach England geschickt, wo zwei unverheiratete Tanten mit Unduldsamkeit und Strenge seine Erziehung übernahmen. Das mag verstehen helfen, weshalb das spannungsgeladene Verhältnis zwischen Kindern und Erwachsenen in Sakis Kurzgeschichten ein so häufiges Motiv ist und weshalb seine ganze Sympathie den aufsässigen Kindern gilt. Nach dem Abschluss der Schule trat er ebenfalls in den Kolonialdienst ein, kehrte aber schon wenig später aus gesundheitlichen Gründen nach London zurück, wo er als Journalist arbeitete. Eine erste Sammlung seiner Kurzgeschichten kam 1904 unter dem Titel *Reginald* heraus. Es folgten *Reginald in Russia* (1910), *The Chronicles of Clovis* (1912) und *Beasts and Super-Beasts* (1914) sowie ein Roman, *The Unbearable Bassington* (1912). Der Grundton seiner Geschichten ist ironisch. Die bürgerliche Welt der Jahrhundertwende nimmt darin absurde, auch surrealistische Züge an, und ihre starre Konventionalität gerät völlig aus den Fugen. Bei Ausbruch des ersten Weltkriegs meldete sich Munro, obwohl schon 44 und von labiler Gesundheit, zum Kriegsdienst. Er fiel 1916 in Flandern.
Deutsche Rechte: Deutscher Taschenbuch Verlag.

VIRGINIA WOOLF (1882-1941) ist eine der Schlüsselfiguren der Moderne, sowohl als Romanautorin wie auch als Essayistin und Feministin. Sie war die Tochter des Literatur- und Kulturkritikers Leslie Stephen, dessen Erziehung sie viel verdankte. Ihre frühe Jugend war durch traumatische Erlebnisse, u. a. den Tod ihrer Mutter und einer Schwester über-

schattet; auch ihr Vater und ihr Lieblingsbruder Thoby starben, bevor sie zwanzig war. Dies alles trug dazu bei, dass ihr Gemütszustand zeitlebens labil war. 1941 nahm sie sich das Leben. – Gemeinsam mit ihrer Schwester Vanessa sammelte die junge Virginia in ihrer Wohnung im Londoner Stadtteil Bloomsbury einen Kreis befreundeter Maler und Schriftsteller um sich, die später so genannte Bloomsbury Group, deren unorthodoxes Denken für sie überaus anregend war. Hier lernte sie auch Leonard Woolf kennen, den sie 1922 heiratete. Gemeinsam gründeten sie 1927 die Hogarth Press, in der u. a. Bücher von T. S. Eliot, E. M. Forster und Katherine Mansfield sowie die ersten Übersetzungen von Werken Sigmund Freuds veröffentlicht wurden. Virginia Woolfs erster Roman, *The Voyage Out*, der 1915 erschien, steht noch ganz in der Tradition des 19. Jahrhunderts, während die nachfolgenden Romane in immer neuer Weise mit Möglichkeiten experimentieren, Wahrnehmungen von Wirklichkeit durch das menschliche Bewusstsein darzustellen: *Mrs Dalloway* (1925), *To the Lighthouse* (1927), *Orlando* (1928), *The Waves* (1931), *The Years* (1937) und *Between the Acts* (1941).
© (The Hogarth Press) Random Century House, London. Rechte an der Übersetzung: Langewiesche-Brandt.

Die Erzählungen dieses Buches mit Ausnahme der Lawrence-Erzählung waren bereits in früheren Bänden der Reihe erschienen. Für die neue Ausgabe wurden die Übersetzungen vom Herausgeber überarbeitet.